<그리스도인이면 꼭 알아야 할 성경 지식>

창세기

제4권 야곱의 생애를 통해 배우는 교훈(25-36장)

서울솔로몬학교 성경연수원

차 례

이 책에 인용된 성경 구절은 〈한글킹제임스성경〉입니다.

제1과

에서와 야곱의 출생

(25,26장)

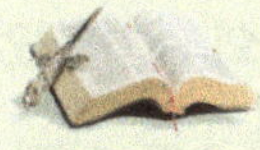

『**주**께서 그녀에게 말씀하시기를 "두 민족이 네 태에 있으니 두 백성이 네 배에서 나눠지리라. 한 백성이 다른 백성보다 강하며 형이 아우를 섬기리라." 하시더라』(창 25:23).

야곱에게 베푸신 하나님의 은혜

파란만장한 인생을 살았던 야곱은 말년에 자신의 인생에 대해 담담하게 술회하기를, "130년간의 순례길 세월이 짧고 험악했다."(창 47:9)라고 말했다. 찬탈자요, 속이는 자로 살았던 야곱이 하나님의 복을 받고, 또 "이스라엘"(창 35:10)이라는 위대한 이름을 얻고 믿음의 사람이 되기까지 그 전 과정을 돌아보면, 하나님의 은혜와 자비, 인내와 기다리심, 돌보심과 인도하심, 야곱을 위한 그분의 열심이 있었음을 알게 된다. 짧고 험악한 세월 동안 하나님의 인도하심이 없었다면, 야곱은 발걸음 하나조차 뗄 수 없었을 것이다. 야곱이 "하나님의 사람"이 될 수 있었던 것은 철저히 "하나님의 은혜"의 결과였다. 사도 바울은 이렇게 고백한다. 『**그러나 하나님의 은혜로 지금의 내가 되었고 또 내게 주신 그분의 은혜가 헛되지 아니하여 그들 모두보다 내가 더 많이 수고하였으나 그것은 내가 아니요, 나와 함께하신 하나님의 은혜로다**』(고전 15:10). 야곱은 "발꿈치를 붙드는 자"(창 25:26)로서, 그의 이름은 "밀렵꾼," "침입자," "찬탈자"라는 뜻이다. 그런데도 하나님께서는 『**내가 야곱은 사랑하였고 에서는 미워하였노라.**』(롬 9:13)라고 말씀하셨다. 야곱은 눈이 멀었을 때와(창 48장) 다리를 절었을 때는(창 32장) 위대한 "믿음의 용사"였지만, "깨어서 정신이 말짱할 때와 건강할 때는" 제트 엔진을 장착한 여우 같았다(피터 S. 럭크만).

에서와 야곱의 출생(25:1-26)

"아브라함"은 사라가 죽은 후에 그두라를 아내로 얻었고(1절), 그녀를 통해 여러 아들이 태어났다(2-4절). 이들은 오늘날 아라비아인들(모슬렘)의 조상들이었는데, 주목할 사실은 아브라함이 생전에 그들을 이삭으로부터 멀리 떨어진 "동쪽" 지방으로 보냈다는 점이다. 말하자면 그들은 하나님께서 아브라함과 그의 씨에게 약속하신 땅으로부터 쫓겨났던 것인데, 이는 아브라함의 언약이 이삭에게 이어졌고(창 15:5,18; 17:7,8,19,21), 그들은 이 언약에 속한 사람들이 아니었기 때문이다.

이런 이유로 이스마엘도 그 땅에서 쫓겨났다(창 21:9-21). 물론 그 역시 아브라함의 씨였기 때문에, 하나님께서는 이전에 약속하셨던 대로(창 16:10; 21:13) 그를 번성하게 해 주셨다(12-16절). 그리고 그는 137세에 숨을 거두게 된다(17,18절).

한편 "하나님의 친구"(약 2:23)이자 "위대한 믿음의 조상"이라 불렸던 아브라함이 향년 175세로 충분히 장수하다가 숨을 거두었고, 그의 시신은 아내 사라가 묻혔던 곳에 함께 장사되었다(7-10절). 이후 하나님께서는 "약속의 씨"인 이삭에게 복을 주셨으니(11절), 하나님의 역사의 중심이 아브라함에서 이삭으로 바뀌게 되었다. 그 중심이 "아브라함과 사라의 관계"에서 "이삭과 리브카"의 관계로 옮겨 간 것이다.

■ 새롭게 깨달았거나 적용할 내용이 있다면 적어 보세요. ■

1. 에서와 야곱에 대한 예언(19-23절)

『**주**께서 그녀에게 말씀하시기를 "두 민족이 네 태에 있으니 두 백성이 네 배에서 나눠지리라. 한 백성이 다른 백성보다 강하며 형이 아우를 섬기리라." 하시더라』(창 25:23).

1) "**기도 응답**"에 따른 "**리브카의 임신**"(19-21,26절)

➠ 이삭은 40세에 리브카를 아내를 얻었는데(20절), 그녀는 "불임"이었다. 그래서 이삭은 아내를 위해 주님께 간구했고(21절), 20년간의 오랜 기도 끝에 "쌍둥이"를 얻게 되었다(21,26절).

"기도를 시작하는 것만으로는 부족하다. 올바르게 기도하는 것이나 얼마 동안 기도를 계속하는 것만으로도 충분하지 않다. 기도 응답을 받을 때까지 믿음을 가지고 꾸준히 기도하는 것이 중요하다. 더 나아가서는 끝까지 기도를 계속할 뿐만 아니라 하나님께서 우리의 기도를 들으시고 응답해 주시리라는 사실을 믿어야 한다. 그러나 성도들 대부분이 복을 받을 때까지 기도를 계속하지 못하고 복을 계속해서 기대하지도 않는다"(조지 뮬러).

2) "**기도 응답**"에 따라 주어진 "**두 아들에 관한 예언**"(22,23절)

(1) 태 안에서 아이들이 서로 싸우는 문제로 인해 리브카는 주께 물으러 갔다(22절). "주께 물으러 갔다"는 것은 그녀의 시아버지요 "선지자"(창 20:7)였던 아브라함에게 물으러 갔다는 의미일 수도 있고, 개인적인 기도를 통해 직접 주님께 물었다는 의미일 수도 있지만, 후자일 가능성이 더욱 크다. 이는 하나님께서 그 문제에 관하여 그

녀에게 "직접" 응답해 주셨기 때문이다(23절).

(2) 하나님께서는 "__미리 아심__"에 따라 『**한 백성이 다른 백성보다 강하며 형이 아우를 섬기리라.**』(23절)라고 말씀하셨다(cf. 롬 9:9-13). 이 말씀은 칼빈주의자들의 주장처럼 그렇게 "미리 정하신" 것이 아니었고, 또한 "개인의 구원"과는 아무런 관계도 없다. 더군다나 "영원 전"에 내리신 결정이 아닌데, 이는 리브카의 배 속에 아기들이 있는 상황에서 하신 말씀이었기 때문이다(롬 9:10).

(3) 이 예언대로 야곱은 에서보다 더 "강력"했고, 에서는 야곱을 섬기게 된다(창 27:29).

2. 에서와 야곱의 출생(24-26절)

➡ 에서와 야곱은 "쌍둥이"(twins)였다.

1) "__에서__"는 몸이 붉고("에돔") 털이 많았는데(25절), 그 이름은 히브리어 어원으로 "털이 많은 자" 또는 "거친"과 관련이 있다. 성경에는 "__털이 많은__" 바벨론 왕 "느부갓넷살"이 등장하고(단 4:33), "__거친 숫염소__"로 상징되는 그리스 왕 "알렉산더"가 등장하는데(단 8:21), 둘 다 "__적그리스도__"를 예표한다. 그뿐만 아니라 그는 "님롯"(적그리스도의 예표, 창 10:8,9)처럼 "__활을 쏘는 사냥꾼__"(창 25:27)으로서 "__적그리스도__"를 예표한다(계 6:2).

2) "__야곱__"은 "__발꿈치를 붙잡고 태어난 자__"(26절)로서 그 이름의 뜻은 "밀렵꾼," "침입자," "찬탈자"이다. 그러나 하나님께서는 야곱을 사랑하셨는데(롬 9:13), 이것은 하나님의 은혜이고 자비이다. 나중에는 그에게 "이스라엘"(창 32:28)이란 이름을 주셨는데, 그 뜻은 "하나님의 통치자"이다.

이런 측면에서 야곱은 "**예수 그리스도**"를 예표한다.

장자권을 경시한 에서(25:27-34)

1. 에서 대 야곱(27,28절)

1) "**에서**"(Esau)

(1) 솜씨 좋은(전문가) "사냥꾼"이었다(27절).

(2) "들 사람"이었다(cf. 마 13:38 - "들"은 "세상"을 예표함).

➠ 아버지 "이삭"의 사랑을 받았는데, 이삭의 편애 동기는 "자신의 배"(사냥한 고기)에 있었다(28절 27:4,7).

2) "**야곱**"(Jacob)

(1) "평범한 사람"이었다(27절).

(2) "장막에 거하는 사람"(순례자)이었다(27절).

➠ 어머니 "리브카"의 사랑을 받았는데, 이는 그가 집안일을 잘 도와주었기 때문이 아니라 『**형이 아우를 섬기리라.**』(창 25:23)라는 예언 때문이었다.

"리브카"는 "교회"를 예표하고, "야곱"은 "이스라엘"이며, "에돔"(에서)은 유대인들의 언어로 "로마"(세상을 예표)를 의미한다. 리브카는 하나님처럼 야곱을 사랑했다(말 1:2). 즉 교회는 "로마"를 사랑하지 않고 "이스라엘"을 사랑해야 하는 것이다.

2. 장자권을 경시한 에서(29-34절)

1) 장막에 거했던 야곱은 "붉은 죽"(팥죽, 34절)을 끓였고, 들에서 돌아온 에서는 몹시 지쳐 있었다(29절). 이에 에서는 야곱에게 붉은 죽을 요구했는데, 여기에서 "에돔"(붉은)이란 이름이 유래했다(30절).

2) <u>**야곱의 간계에 속은(31절, 창 27:36) "에서"는 "장자권"(birthright)을 경시했고(32,34절), 경솔하게도 팥죽 한 그릇에 장자권을 팔아넘겼다(33절)**</u>.

<u>"장자권"은 어떤 역할을 하는가?</u> ① 장자권은 두 배의 유업(아버지 유산의 두 분깃)을 갖게 한다(신 21:17). ② 장자권은 아브라함의 복과 약속들을 물려받게 한다(창 12:1-4). ③ 장자권은 예수 그리스도의 계보에 들어갈 기회를 제공한다. "에서"와 "르우벤"(창 35:22, 대상 5:1,2, cf. 창 34:25)은 장자였음에도 불구하고 그들의 죄로 인해 그 기회를 박탈당했다. ④ 장자권은 가족의 머리이자, 예언할 수 있는 선지자의 권리를 제공한다. 아브라함이 선지자로 제시되었듯이(창 20:7) 이삭 역시 선지자로서 드러난다(창 27:28,29). 에서는 선지자가 될 권리를 잃어버린 것이다.

3) 에서는 한 그릇 음식을 위해 중요한 장자권을 팔아 버린 "속된 사람"으로서 축복을 유업으로 받으려고 했을 때 거절당했고, 또 눈물로 간절히 구했지만 회개의 기회를 얻지 못했다(히 12:16,17).

➡ 에서는 "<u>**대환란 기간에 구원을 잃어버린 사람**</u>"의 예표가 된다. 이는 그가 아브라함의 언약 중에서 "땅에 대한 언약," 곧 "땅에 대한 상속권"(유업)을 포기한 것이나 다름없었기 때문인데, 실제로 환란 시대

에 구원을 잃어버린 사람들은 "천년왕국에서 누릴 안식의 땅에 대한 유업"을 포기한 것이 된다. 더구나 그들은 에서처럼 눈물로 간절히 구해도 "회개의 기회"를 얻지 못하게 된다(히 6:6).

"영적으로" 보면, 에서는 순간의 제단에 영원을 불살라 버린 그리스도인들의 예표가 된다. 구원받은 그리스도인들이 천년왕국에서 유업을 받으려면 현 세상에서 신실하게 준비해야 한다. 휴거 이후에는 더 이상의 기회가 없기 때문이다. 눈물로 호소하며 다시 기회를 달라고 해도 소용이 없다. 따라서 아직은 기회가 주어지고 있는 바로 지금 순간의 제단에 영원을 불사르지 말고 영원의 제단에 순간의 정욕을 불태우는 사람이 되어야 한다.

"오늘날 자신만을 위해 살고, 죄 가운데 살며, 세상의 향락과 육신의 욕망을 따라 장차 다가올 영원한 유익을 팔아먹는 사람들이 많다. 이 세상을 살아가는 동안 이런 세상의 정욕들이 우리에게 어떤 유익을 줄 수 있겠는가? 과연 이러한 것들이 우리가 임종하게 될 순간과 죽음 후에 들어갈 영원한 하늘나라에서 어떻게 보일지 숙고해 보라"(F.E. 마쉬).

<u>창세기 26장에서는 "아브라함의 언약"이 이삭에게 확정된다(3,4절)</u>. 당시 카나안 땅에 기근이 들었는데, 하나님께서는 이삭에게 "이집트로 내려가지 말라."(2절)라고 경고하셨고, 이 땅에 기거하라고 명령하시면서 아브라함과 맺으신 언약을 이삭에게 확정해 주셨다(3,4절). 그러나 이삭은 하나님의 명령을 온전히 따르지 못했다. 물론 그가 이집트로 내려가지는 않았지만, 그랄에 "기거하라"(sojourn, 임시

로 머무는 것, 3절)는 명령을 어기고 아예 그곳에 "머물러 버린"(dwell, 6절) 것이다. 잠시 머물다가 올 임시 거처로 삼은 것이 아니라 안주해 버린 것인데, 결국 그는 아버지 아브라함이 범했던 실책을 그대로 반복하고 말았다(7-11절).

이후 하나님께서는 이삭에게 복을 주시어 창대하고 번성하여 매우 부유하게 만들어 주셨는데, 이를 시기한 필리스티아인들로 인해 소위 "우물 분쟁"이 일어나게 되었다(12-14절). 하지만 이 분쟁은 이삭에게 그랄에서 벗어나 브엘세바로 빠져나올 수 있는 계기를 마련해 주었는데(15-33절), 결국 이삭은 그의 아버지 아브라함이 영원하신 하나님, 곧 주의 이름을 부른 장소까지(창 21:33) 올라오게 된 것이다. 이곳에서 이삭은 주님을 만났고 다시 한번 복과 씨의 번성에 대한 약속을 받았다. 『**나는 네 아비 아브라함의 하나님이라. 두려워 말라, 내 종 아브라함을 위하여 내가 너와 함께 있으며 너에게 복을 주고 네 씨를 번성케 하리라**』(24절). 그리고 이삭 역시 아브라함이 그랬던 것처럼 "주의 이름"를 불렀고 제단을 쌓았으며 장막을 치고 우물을 팠다.

비록 이삭은 그랄에서 살려고 했었고 그러다가 아버지와 똑같은 실수를 범하긴 했지만, 그래도 이집트로는 내려가지 않았다. 이삭은 족장 중에서 유일하게 약속의 땅을 단 한 번도 벗어나지 않은 유일한 사람이었다. 아브라함은 이집트로 내려간 적이 있었고, 야곱도, 요셉도, 야곱의 열두 아들들도 이집트로 내려간 적이 있었다. 그러나 이삭은 유일하게 이집트로 내려가지 않았다. 그 결과 이삭은 하나님으로부터 섭리적인 보호를 받았고(24절) 복을 받았으며(13절) 필요를 공급받았다(18절). 그리고 그 땅에서 다산하기까지 했다(22절).

한편 에서는 40세에 카나안 땅의 여인들을 아내로 맞이함으로써 이삭과 리브카에게 근심을 안겨 주었다.

제1과
복습문제

1. 다음 중 "에서"와 관련이 없는 항목은 무엇인가? (　　　)
   ① 붉음 ② 털이 많음 ③ 거친 숫염소 ④ 발꿈치를 붙잡은 사람 ⑤ 사냥꾼

2. 야곱에게는 "하나님의 통치자"라는 의미를 지닌 "이스라엘"이란 이름이 주어지는데, 이런 면에서 야곱은 (　　　　　　　　　　)를 예표한다.

3. 리브카가 야곱을 사랑했던 이유는, 야곱이 장막에 거하는 평범한 사람으로서 집안일을 잘 도와주었기 때문이다. (O , X)

4. 리브카"는 "교회"를 예표하고, "야곱"은 "이스라엘"이며, "에돔"은 유대인들의 언어로 "로마"(세상을 예표)를 의미한다. 리브카는 하나님처럼 야곱을 사랑했다(말 1:2). 즉 교회는 "세상"을 사랑하지 않고 "이스라엘"을 사랑해야 하는 것이다. (O , X)

5. 에서는 팥죽 한 그릇에 (　　　　　　)을 팔아넘긴 속된 사람이다.

6. 에서는 대환란 기간에 구원을 잃어버린 사람의 예표가 된다. (O , X)

■ 복습 문제의 정답은 홈페이지(www.solomonbtc.org)에서 확인할 수 있습니다.

NOTES

NOTES

제2과

찬탈자 야곱 : 복을 빼앗다(27장)

『에서가 말하기를 "그의 이름을 야곱이라 함이 옳지 아니하니이까? 그가 이렇게 두 번이나 나를 속였나이다. 그가 나의 장자권을 빼앗더니, 보소서, 이제는 그가 나의 복을 빼앗아 갔나이다." 하더라. 또 그가 말하기를 "아버지께서는 나를 위한 복을 남겨 두지 아니하셨나이까?" 하니』(창 27:36).

속이는 자 야곱

야곱이 장자권을 취한 방법을 옳다고 할 수 없다. 비록 야곱이 하나님께서 『**형이 아우를 섬기리라.**』(창 25:23)라고 말씀하신 그 예언을 알고 있었다 할지라도, 그의 형의 배고픔을 이용해서 이익을 취했다는 것은 그 무엇이라 해도 무정하고 비열한 짓이었다. 야곱의 계획은 그의 삶에 씻을 수 없는 오점이 되었고, 그의 인격에는 옥에 티가 되었으며, **결국 그는 뿌린 대로 거두어야 했다**. 그가 아버지 이삭을 속인 것같이 외삼촌 라반도 그를 속였다. 예언의 성취를 위해 하나님을 재촉하거나 인간적인 방법을 취하는 것은 결코 득이 되지 않는다. 모세가 하나님의 명령에 불순종하여 바위를 두 번 친 것과 상관없이 이전처럼 똑같이 바위에서 물이 나왔지만, 하나님께서는 그분의 명령에 불순종한 모세가 카나안 땅에 들어가지 못하게 하셨으니, 하나님께서는 그 방법을 옳다고 인정해 주지 않으신 것이다(F.E. 마쉬).

복을 빼앗는 야곱(1-17절)

1. 에서를 축복하려고 하는 나이 든 이삭(1-4절)

1) 이삭은 늙었고 눈이 침침해지고 시력을 잃어 가고 있었다(1절). 하지만

여전히 사냥한 고기를 먹을 수 있을 만큼 위장은 튼튼했던 것 같다(4절). 이제 언제 죽을지 모른다고 생각한(2절) 이삭은 맏아들 에서를 축복하려 하고 있다(4절).

2) 비록 하나님께서 **『두 민족이 네 태에 있으니 두 백성이 네 배에서 나눠지리라. 한 백성이 다른 백성보다 강하며 형이 아우를 섬기리라.』**(창 25:23)라고 말씀하셨지만, 그것은 자신에게 "직접" 하신 말씀도 아니었고, "아브라함의 언약"에 관한 언급도 없었으며, 또한 에서는 "장자"였으므로 이삭은 그에게 축복하는 것이 당연히 옳다고 생각했을 것이다.

2. 이삭의 축복을 변경시키려 하는 리브카(5-17절)

1) 리브카는 남편 이삭과 맏아들 에서 사이의 대화를 엿들었고(5절), 그 복을 빼앗기 위해 작은아들인 야곱과 모의하기 시작했다(6-8절).

(1) 그녀는 하나님께서 말씀하신 "창세기 25:23"의 예언을 알고 있었지만, '현재 돌아가는 상황이 심상치 않다.'라고 생각한 나머지 "인간적이고 육신적인 방법"을 동원했다.

(2) 이것은 믿음 없는 행동으로서, 그녀는 두 가지 사실을 간과하고 말았다. 첫째, 하나님께서는 친히 말씀하신 예언을 반드시 이행하고 성취하는 분이시다(민 23:19). 둘째, 모든 일과 예언에는 때가 있다.

(3) 설령 현재 상황이 에서 쪽으로 유리하게 돌아가는 것처럼 보인다 해도, 리브카는 야곱의 미래에 대해 두려워할 이유가 전혀 없었는데, 그녀에게 말씀하신 분은 전지전능하신 하나님이시기 때문이다.

2) 리브카는 "자신의 믿음 없는 행동"을 실행으로 옮겼다(9-17절).

(1) 둘째 아들 야곱에게 어떻게 거짓말을 하고 어떻게 아버지를 속일 것인지를 가르쳤다(9,10절). 어머니가 아들에게 거짓말과 아버지를 속이는 방법을 아들에게 전수했다. 말하자면 세상의 처세술을 알려 준 것이다.

(2) 한편 세상 사는 법을 일찍 터득했고 머리 회전이 빨랐던 야곱은 어머니의 계략에 허점이 있는 것을 발견하고는 이렇게 의문을 제기했다. **『보소서, 내 형 에서는 털이 많은 사람이요 나는 매끈한 사람인데, 내 아버지께서 혹시 나를 만져 보시면 내가 그에게 속이는 자로 보일 지니, 그러면 나는 축복은커녕 저주를 받을 것이니이다』**(11,12절).

(3) 그러나 리브카는 이미 이 모든 일에 대해 대책을 강구해 놓았다("염소 새끼 가죽," 16절). 특히 일이 잘못된다 해도 그 모든 책임을 자신이 지고, 저주도 자신이 받겠다고 했다(13-17절).

3) 리브카는 믿음 없이 행동한 결과 어떤 열매를 거두었는가?

➠ 야곱은 외삼촌 라반의 집으로 도피해야 했고, 리브카는 자기가 사랑하는 아들을 20여 년 동안이나 보지 못하는 대가를 치러야 했다. 심지어 야곱이 돌아왔을 때는 이미 리브카가 죽은 상태였으므로, 야곱은 어머니를 장사 지내지도 못했다(창 49:31). 그들은 "몇 날"만 지나면 다시 얼굴을 볼 수 있을 것으로 생각했으니, 그 "몇 날"이 20여 년이 될 줄은 꿈에도 몰랐다. 이처럼 리브카는 믿음을 따라 행하지 않고 육신적인 방법을 따라 행한 대가를 그대로 받은 것이다.

■ 새롭게 깨달았거나 적용할 내용이 있다면 적어 보세요. ■

3. 복을 받은 야곱(18-29절)

1) 이삭은 의심했고, 야곱은 이 의심을 해소하기 위해 "진짜"처럼 기막히게 연기해야 했다. 거짓말을 계속 꾸며 대야 했던 것이다. "거짓말은 새끼를 치는 법이다!"

2) 한쪽에서는 의심하고 다른 한쪽에서는 거짓말하는 가운데, 의심과 거짓말이 서로 교차하면서 상황이 빠르게 전개되어 나간다

➡ 이삭의 "<u>여섯 번의 의심</u>"(①~⑥)과 야곱의 "<u>네 번의 거짓말</u>"(❶~❹)

- 의심 ① 『**네가 누구냐?**』(18절)
- 거짓말 ❶ 『**나는 아버지의 맏아들 에서로소이다**』(19절).
- 거짓말 ❷ 『**아버지께서 내게 청하셨던 대로 행하였나이다**』(19절).
- 의심 ② 『**네가 어떻게 그처럼 빨리 잡았더냐?**』(20절)
- 거짓말 ❸ 『**주 아버지의 하나님께서 내게 보내 주셨나이다**』(20절).
- 의심 ③ 『**네가 과연 내 아들 에서인지 아닌지를 만져 보리라**』(21절).
- 의심 ④ 『**목소리는 야곱의 목소리인데 손은 에서의 손이로다**』(22절).
- 의심 ⑤ 『**네가 정말 내 아들 에서냐?**』(24절).
- 거짓말 ❹ 『**그러하니이다**』(24절).
- 의심 ⑥ 『**그의 옷 냄새를 맡고**』(27절).

3) 야곱은 형 에서가 사냥에서 돌아오기 전에 모든 일이 마무리되어야 했기에 그야말로 진땀 나는 상황이었다.

한 번 거짓말하게 되면 그것을 지탱하기 위해 또 다른 거짓말을 할 수밖에 없다. 야곱이 끝까지 거짓말로

버텨 낸 과정은 실로 놀라운 일이 아닐 수 없다. 그의 아버지는 그의 목과 어깨를 더듬으며 옷의 냄새까지 맡았다(27절). 비록 눈이 안 보이긴 했지만 그렇게 가까이서 아버지의 눈이 그를 내려다보고 있었고 바깥에서는 사냥하는 소리가 멈추고 조용한 것으로 보아 에서가 사냥을 끝내고 돌아오는 중이었을지도 모른다. 게다가 야곱은 아버지가 먹는 동안 줄곧 곁에 있어야 했다. 얼마나 불안하고 괴로웠겠는가? 야곱은 아브라함처럼(창 18:8) 아버지가 잡수시는 동안 계속 시중을 들어야 했던 것이다(cf. 25절).

그 모습을 한번 상상해 보라. 이삭은 천천히 조심스럽게 차근차근 고기를 먹고 있다(137세나 되었으니 이도 빠졌을 것이다). 느릿느릿 잡수시는 아버지를 애가 타게 바라보는 야곱의 심정을 생각해 보라. '언제 다 잡수시려고 저러시지? 혹시 염소 고기(9절)와 사슴 고기(3절)의 차이를 눈치채신 건 아닐까? 어째 천천히 씹어 잡수시는 것이 맛을 비교하시려는 것 같은데." 야곱은 연신 장막 문 쪽으로 눈을 돌린다. 에서가 들어오는 것이 아닌가 해서다. 뒤쪽 부엌에서는 리브카가 눈짓을 보낸다. '걱정하지 말고 가만히 있거라.' 야곱은 식은땀을 흘리고 있다. 드디어 이삭은 입을 닦더니만 포도즙을 죽 들이키더니 "아주 잘 먹었다. 얘야, 그릇을 치워라."라고 말한다. 그러나 야곱의 손은 이미 접시 위에 가 있었다. "내 아들아, 이제 가까이 와서 내게 입을 맞추라." 사태는 더욱 어렵게 되어 간다. "이렇게 훌륭한 사슴을 잡았으니 애를 많이 썼겠구나, 땀을 많이 흘린 것을 보니 정말 애썼어." 이 말에 야곱의 가슴은 철렁했을 것이다. 리브카도 놀라서 접시를 부엌에서 떨어뜨렸을지 모르겠다. 야곱도 미칠 지경이었다(〈피터 럭크만의 주석서 창세기 II〉, pp.137,138에서 발췌).

4) 이삭은 야곱을 축복했고, 아브라함에게 주어진 복과 아브라함의 언약은 야곱에게로 전달되었다. 『**백성이 너를 섬기고 민족들이 네게 절하며, 네 형제들 위에 주가 되고, 네 어미의 아들들이 네게 절하며 너를 저주하는 모든 자는 저주를 받고 너를 축복하는 모든 자는 복을 받을지어다**』(29절).

4. 에서의 부질없는 후회(30-40절)

1) 야곱이 나가자마자 곧 에서가 사냥에서 돌아왔다(30절). 사실 하나님께서는 필요하시다면 에서가 사냥하기 시작한 지 10분 만에라도 사슴 한 마리를 잡아 주셨을 수 있었다. 그래서 야곱이 복을 받지 못하도록 상황을 마무리하셨을 수도 있었다. 그러나 하나님께서는 그렇게 하지 않으셨다. 야곱이 복을 다 받을 때까지는 사냥감을 얻지 못하도록 하신 것이다. 이유가 무엇인가? 에서가 장자권을 경시했기 때문이다. 팥죽 한 그릇과 바꿔 버린 것이다(창 25:34).

2) 복을 잃어버린 에서는 『**내 아버지여, 아버지께는 한 가지 복밖에는 없나이까? 오 내 아버지여, 내게도, 내게도 축복하소서.**』(38절)라고 하면서 소리 높여 울었다. 하지만 뒤늦게 후회해도 상황을 돌이킬 수 없었다.

(1) "에서"는 하나님의 복을 하찮게 여겼다. "야곱"은 형과 아버지를 속인 행위 그 자체는 나빴지만, 최소한 하나님의 복의 중요성은 알았다.

(2) 에서는 "환란 시대에 구원을 잃어버린 자들"의 예표다(히 12:14-17). 에서와 같이 속된 자가 되면 천년왕국이라는 안식의 땅에 들어가지 못하고 구원을 잃어버려 떨어져 나가게 된다.

(3) 이삭은 에서를 위해 복을 빌긴 했지만(39절) 그 복에는 "하나님"이란 단어가 빠져 있었으니, 곧 하나님의 보호하심과 인도하심 그리

고 그 복에 관한 확실한 보장을 받지 못했던 것이다.

동생 야곱에게서 복을 빼앗겼다고 생각한 에서는 속으로 분노한 나머지 야곱을 미워했고 심지어 그를 죽일 계획까지 세우게 된다(41절). 이 사실을 알게 된(42절) 리브카는 야곱을 떠나보낸다. 에서의 화가 풀릴 때까지 "몇 날"만 참았다가 다시 볼 수 있을 것으로 생각한 리브카였지만, 현실은 그렇게 흘러가지 않았다. 결국 그녀는 향후 20여 년간을 사랑하는 작은아들 없이 남편 이삭과 큰아들 에서와 그의 며느리들과 여생을 보내게 된다. 심는 대로 거두는 법이다! 『**속지 말라, 하나님은 우롱당하지 아니하시느니라. 이는 사람이 무엇을 심든지 그대로 거둘 것이기 때문이라**』(갈 6:7).

■ 새롭게 깨달았거나 적용할 내용이 있다면 적어 보세요. ■

제2과
복습문제

1. 리브카는 남편 이삭과 맏아들 에서 사이의 대화를 엿들었고(5절), 그 복을 마땅히 받아야 할 작은아들인 야곱에게 돌리려고 인간적인 방법을 동원했는데, 이것은 "믿음에 따른 올바른 행동"이었다. (O , X)

2. 에서와 같이 속된 자가 되면 천년왕국이라는 안식의 땅에 들어가지 못하고 구원을 잃어버려 떨어져 나가게 된다. 이것은 교회 시대의 교리다. (O , X)

3. 하나님께서는 야곱이 복을 다 받을 때까지는 에서가 사냥감을 얻지 못하도록 막으셨다. 이유가 무엇인가? 이는 에서가 (   )을 경시했기 때문이다.

4. 『백성이 너를 섬기고 민족들이 네게 절하며, 네 형제들 위에 주가 되고, 네 어미의 아들들이 네게 절하며 너를 저주하는 모든 자는 (   )를 받고 너를 축복하는 모든 자는 (   )을 받을지어다." 하더라』(창 27:29).

5. 『(   ), 하나님은 우롱당하지 아니하시느니라. 이는 사람이 무엇을 (   ) 그대로 (   ) 것이기 때문이라』(갈 6:7).

■ 복습 문제의 정답은 홈페이지(www.solomonbtc.org)에서 확인할 수 있습니다.

NOTES

제3과

도망자 야곱 : 에서를 피해 하란으로 도망치다(28장)

『이삭이 야곱을 보내더라. 그가 파단 아람의 라반에게로 갔으니, 라반은 시리아인 브두엘의 아들이요, 야곱과 에서의 어미 리브카의 오라비더라』(창 28:5).

야곱의 도피와 그 참된 의미

창세기 27장에서 리브카는 야곱에게 "**하란**"에 있는 자신의 오라비 라반에게로 도피하라고 명령한다(43절). 그 이유는 다름 아닌 장자권을 빼앗긴 형 에서가 이삭이 야곱에게 해 준 축복으로 인해 야곱을 죽일 것을 결심했기 때문이다(41절). 자칫하면 한날에 자식 둘을 모두 잃을 것 같은 불길한 예감이 든 리브카는 야곱이 오라비 라반과 함께 며칠을 지내다 보면 형 "**에서**"의 화가 어느덧 풀릴 것이고, 그 일에 대해서도 잊어버릴 것으로 생각하여 떠나 보내려고 했던 것이다(44,45절). 하지만 이런 바람과는 달리 야곱은 20년의 긴 세월을 외삼촌 라반의 그늘에 갇혀 살아야 하는 현실에 맞닥뜨리게 된다. 이것은 리브카도, 야곱도 모두 예상치 못한 일이었다(약 4:14). **사실 리브카가 야곱을 하란으로 보내려던 그 여정은 단순히 죽음을 피하기 위한 것만은 아니었는데, 이삭이 야곱을 축복하면서 라반의 딸들 중에서 아내를 얻으라는 명령이 그 참된 의미를 잘 보여 준다(창 28:1-5)**. 만일 죽음을 피하는 것만이 목적이라면, 굳이 400마일 이상이나 되는 그 먼 길을 떠나야 할 필요는 없었다. "**세겜**"이나 "**헤브론**"으로 피하기만 해도, 에서의 손길에서 벗어날 수 있었기 때문이다. 하란에 도착한 야곱은 그곳에서 아내들을 얻고(창 29:15-30), 기나긴 고난의 세월을 보낸 뒤 하나님의 선하신 인도하심으로 귀향하게 된다(창 31:11-13).

하란으로 떠나는 야곱(1-10절)

1. 축복을 받고 떠나는 야곱(1-5절)

➠ 이삭은 함의 자손들과 혼혈하지 말라는 경고와 함께(1절), 아브라함에게 약속하신 축복을 언급하면서(3,4절) 야곱을 파단아람으로 보냈다(5절). 파단아람은 "시리아의 평원"이라는 뜻으로서 "하란" 지역을 지칭하는 것으로 볼 수 있다(창 24:10). 그곳에는 외삼촌 "라반"과 함께 어려운 삶이 기다리고 있었다.

2. 에서의 반항적인 행동(6-9절)

➠ 에서의 행동은 순수하지 못한, 반항기 어린 행동 그 자체였다. 에서는 카나안 여인을 아내로 맞음으로써 씨를 혼잡하게 했고, 그의 부모를 기쁘게 하지 못했으며(8절), 이스마엘의 장자인 느바욧의 누이 "마할랏"을 아내로 취함으로써 레위기 18:18에 나오는 규례를 어겼다(9절, cf. 창 36:3).

3. "브엘세바"에서 "하란"으로! (10절)

1) 에서로부터 장자권을 얻어내고(창 25:29-34), 아버지 이삭을 속여 축복까지 받아낸 야곱(창 27:1-29)은 이제 이삭의 축복을 받으며 브엘세바를 떠나 하란으로 향한다(10절).

2) "브엘세바"는 ❶ 사라의 여종 하갈과 그녀의 아들 이스마엘이 쫓겨났던

곳이다(창 21:14-16). ❷ 특히 아브라함이 아비멜렉과 더불어 맹세했던 곳이며(창 21:31), ❸ 또한 하나님께서 이삭에게 아브라함의 언약을 확정하신 곳이기도 하다(창 26:24,25).

3) "하란"은 칼데아 우르에서 나온 아브라함의 아비 데라가 죽은 곳으로(창 11:32), 아브라함은 우르에서 하란을 거쳐 벧엘로 왔었다(창 12:8). 그런데 야곱은 지금 아브라함이 나왔던 여정과는 정반대의 길, 곧 서에서 동으로 향하고 있다.

야곱을 찾아오신 하나님(11-22절)

1. 야곱의 사다리(11,12절)

1) 때는 해가 어두워진 밤이었다. 인생의 어두운 골짜기를 지나는 죄인들을 멸망으로부터 건져내시는 분은 "세상의 빛"이신 주님이시다(요 9:5). 죄인은 하나님께서 그를 다루실 수 있는 상황에서 단지 그분을 붙들기만 하면 된다. 야곱은 지금 그런 상황에 놓인 것이다(행 9:3).

2) 야곱은 꿈에서 하늘과 땅을 이어주는 "사다리"와 그 사다리를 오르락내리락하는 "하나님의 천사들"을 보았다(12절). 이 사다리는 "사람과 하나님 사이를 연결해 주는 중재자"이신 주 예수 그리스도, 곧 땅과 하늘을 이어주는 "사람임과 동시에 하나님이셔야 하는 두 조건을 모두 충족시키시는 분"을 예표한다(딤전 2:5). 하나님께로 나아갈 수 있는 유일한

통로는 이 땅에 오신 "주 예수 그리스도" 한 분뿐이시다(요 14:6).

『또 그에게 말씀하시기를 "진실로 진실로 내가 너희에게 말하노니, 너희가 이 후로는 하늘이 열리고 하나님의 천사들이 인자 위에 오르내리는 것을 보리라."고 하시더라』 (요 1:51).

3) 하늘로 오르고자 하는 "인간의 욕망이 세운 사다리"는 모두 한 줄기 썩은 동아줄에 불과하다. 그것이 제아무리 최첨단 우주선이나 위대한 종교라 할지라도 그 사다리의 꼭대기는 결코 하늘에 닿을 수 없다(창 11:1-4). 오히려 그 사다리는 땅에 뿌리를 깊이 박은 채, 지옥을 향해 내려가는 죽음의 통로가 될 뿐이다.

2. 약속된 복을 받는 야곱(13-15절)

1) 이 약속은 아브라함에게 먼저 주어졌고(창 13:15), 후에 이삭에게 주어졌으며(창 26:3), 이제 야곱에게 주어진다(14절). 팔레스타인 땅은 인류의 역사를 주관하시는 하나님께서 약속하신 유대인의 땅이지, 결코 "이스마엘의 씨"나 "교회"에게 주어진 적이 없다. 비록 이스라엘이 불순종으로 인해 일시적으로 그 땅에서 쫓겨났을지라도, 이 약속은 영원히 폐기될 수 없다(롬 11:19,22,25).

2) 14절에서 말하는 "씨"는 육체적인 씨, 곧 "이스라엘 자손"을 말하는 것으로서, 갈라디아서 3:16에 나오는 "그리스도"나 "영적인 씨"를 언급하는 것이 아니다. 그뿐만 아니라 "복" 또한 창세기 12:3과 마찬가지로 영적인

복이 아니라, 눈에 보이는 문자적이고 실제적인 "복"을 가리킨다.

3) 약속하신 목적지를 향해 나아가든지(신 31:6), 전쟁에 임하든지(수 1:5,8), 맡겨진 일을 수행하든지(대상 28:20), 위기에 처해 있든지(히 13:5-7) 간에 "내가 너와 함께 있어, 모든 곳에서 너를 지키며, 떠나지 아니할 것"(15절)이라는 "거짓말하실 수 없는 하나님"(히 6:18)의 약속은 항상 불변하다. 늘 함께하시지만 지켜 주실 수 없다면, 그러한 존재는 나의 구주가 될 수 없다(삼하 22:3).

➠ 특히 이 말씀은 오늘날 신약 성도들에게는 구원의 영원한 보장을 의미하는 것으로서, 값 주고 사신 주님의 소유(재산)를 구속하기까지 함께하시며 결코 떠나지 않으신다(엡 1:14).

3. "주님의 임재"를 깨달은 야곱(16-19절)

1) 잠에서 깨어난 야곱은 그곳이 "하나님의 전"이며, "하늘의 문"임을 인식하고 두려워한다. 이처럼 "주님의 임재"는 사람들에게 "두려움"과 "무서움"으로 다가온다(계 6:16, 출 20:18, 사 6:5). 주목할 것은 사다리(12절, 요 1:51), 문(17절, 요 10:9), 집(17절, 딤후 2:19,20), 돌(18절, 눅 20:17, 18)은 모두 교회 건물이 아니라 "주 예수 그리스도"의 예표다.

2) 야곱과 달리, 2천 년 뒤의 이스라엘은 "세상의 빛으로 오신 주님"을 알아보지 못했고(요 1:10) "성전이신 주님"께서 그들 곁에 계셨으나 알지 못했다(요 2:19). 또한 엠마오로 가는 제자들도 "부활하신 주님"을 알아보지 못했으며(눅 24:15,16), 파도가 치는 배에서 주무시고 계신 분이 창조주 "하나님"이심을 제자들은 전혀 깨닫지 못했다(막 4:38-41).

➡ **그러므로 잠에서 깨어나지 않으면, 주님의 임재를 깨달을 수 없다. 지금이 바로 잠에서 깨어야 할 시간이다(롬 13:11).**

3) 아침 일찍 일어난 야곱은 베개로 삼은 돌을 기둥으로 세워, 그 위에 기름을 붓고 그곳을 "**벧엘**"(하나님의 집)이라 부른다(18,19절). **이것은 "이스라엘의 반석"이신 분께서 "기름부음을 받은 메시아"가 되심을 보여 주는 하나의 그림이다(시 2:2, 합 3:13, 요 11:2).** 그런데 주님의 재림 전에 "**죄의 사람**"이 나타나 "**기름부음받은 그리스도**"의 행세를 하며 7년간 통치할 것이다.

4. 야곱의 조건부 서원(20-22절)

1) 아이들은 자기가 원하는 것을 들어주면, 부모가 바라는 것을 모두 할 것처럼 말한다. 야곱은 지금 하나님께 그런 제안을 하고 있다.

2) **야곱은 아버지 이삭에게 거짓말을 했고, 형 에서에게서 장자권을 빼앗았다. 그리고 도망치면서 하나님의 약속을 의심한 자다. 그런데 지금 "하나님께서 이런 것을 해 주시면, 저도 주님을 위해 이렇게 하겠다."라는 순종을 조건으로 하나님을 자기편으로 끌어들이려 한다.** 하지만 야곱은 이러한 홍정을 실천에 옮겨야 할 상황을 나중에 맞게 된다(창 32:7,24-28).

3) 야곱의 이러한 조건부적인 서원은 육신적인 것으로 비칠지 모르지만, 적어도 그가 "**하나님의 복**"에 대해 큰 가치를 두고 있었음은 분명하다.

4) 자신이 세운 돌 기둥이 하나님의 전이 되고, 그의 조상 아브라함처럼 하

나님께 십일조를 드리겠다고 공언했을지라도(창 14:20), **집을 세우시는 분은 하나님이시요 모든 것을 채우신 분도 하나님이시다. 그러므로 "주께서 집을 짓지 아니하시면 집을 짓는 자들의 수고가 헛된 것"(시 127:1) 임을 오늘날 그리스도인들도 반드시 기억해야 한다.**

이스라엘은 "자기를 지으신 분을 잊어버리고 신전들을 지었으며"(호 8:14), "십일조를 하면서도 하나님의 집에서 약탈을 일삼는 자들"(마 23:23)이었다. 하나님께서는 그런 그들을 황폐케 하셨다(마 23:38). 오늘날 "하나님의 성전"인 그리스도인들도 이스라엘과 동일한 길을 걷는다면, 하나님께서 그의 "몸"을 멸하실 수 있음을 잊어서는 안 된다(고전 5:5).

■ 새롭게 깨달았거나 적용할 내용이 있다면 적어 보세요. ■

제3과
복습문제

1. 아브라함은 갈데아 우르를 떠나 하란을 거쳐 벧엘로 왔다. 하지만 에서를 피해 도망자 신세가 된 야곱은 아브라함이 나왔던 여정과 정반대의 길, 곧 서에서 동으로 향하고 있다. (O , X)

2. 야곱이 꿈에서 본 사다리는 (   )의 예표다(요 1:51).

3. 『네 씨는 땅의 티끌같이 될 것이며, 너는 서쪽과 동쪽과 북쪽과 남쪽까지 멀리 퍼지리라. 땅의 모든 족속들이 너와 네 씨 안에서 복을 받으리라.』(창 28:14)라는 말씀에서의 "씨"는 그리스도 또는 영적인 씨를 말한다. (O , X)

4. 창세기 28장에 나오는 사다리(12절), 문과 집(17절) 그리고 돌(18절)은 모두 교회 건물이 아니라, "주 예수 그리스도"의 예표다. (O , X)

5. 꿈에서 사다리를 보고 깨어난 야곱이 자신이 베고 잔 돌을 세워 기름을 붓고 난 후 하나님께 서원을 했는데(창 28:20-22), 이것은 회심한 한 죄인이 하나님께 온전히 자신을 드리려고 하는 서원의 모습을 그대로 보여 주고 있다. (O , X)

■ 복습 문제의 정답은 홈페이지(www.solomonbtc.org)에서 확인할 수 있습니다.

NOTES

제4과
하란에서의 20년
(29-31장)

『이같이 내가 외삼촌의 집에서 이십 년을 지냈으니, 외삼촌의 두 딸을 위하여는 십사 년을, 외삼촌의 양떼를 위하여는 육 년을 봉사하였으나, 외삼촌은 내 품삯을 열 번이나 변경하였나이다』(창 31:41).

하란에서의 고생스러운 20년

하란에 도착한 야곱은 "**라반**"과 그의 딸 "**라헬**"과의 만남을 통해 그의 여정이 하나님의 복과 기쁨으로 시작되는 듯 보였다. 그래서 라헬을 신부로 얻기 위한 7년간의 봉사 또한 그에게는 꿈에 본 듯 지나가는 짧은 시간이었다. 하지만 이것이 고난의 서막이 될 줄이야! 라반의 계략으로 레아를 아내로 맞은 야곱은 라헬을 위해 또다시 7년을 봉사해야 했고, 그렇게 20년을 하란에서 보내게 된다. 이 기간에 아내들의 시기로 점철된 "자녀 출산 경쟁"으로 인해 부양해야 할 가족이 늘어났다. 한편 야곱은 타고난 지략으로 라반을 속여 엄청난 재산을 소유하게 된다. 이제 많은 재산을 소유한 야곱은 외삼촌 "라반"이 모르게 하란을 떠나려 하지만, 이를 알게 된 라반의 추격을 받고 만다. 그럼에도 불구하고 하나님의 선한 인도하심을 통해 야곱은 고향으로의 여정을 계속 이어가게 된다.

만남의 기쁨과 고난의 서막(29:1-30)

1. 라헬과 라반의 환대(1-14절)

1) 야곱은 이제 "**동쪽 사람들의 땅**"(1절, 메소포타미아)으로 이동하여 우물

곁에 모여 있는 목자들을 만난다. 그리고 그들에게 "**나홀의 아들 라반**"(실상은 손자다, cf 마 1:1)의 안부를 묻는다. 잠시 후 외삼촌 라반의 딸 "라헬"을 만나게 되는데(9절), 그녀는 여자 목동으로 "**암양**"(삼하 12:1-4)이라는 뜻의 이름을 갖고 있었다.

2) 그곳의 관례에 의하면 모든 양 떼가 다 모이기 전에는 물을 먹일 수 없었음에도 불구하고(7,8절), 야곱은 라반의 양 떼와 라헬을 보고서 우물의 돌을 굴려 물을 먹였다(10절). **라헬에게서 야곱의 소식을 들은 라반은 한걸음에 달려와 그를 맞이했고, 창세기 27,28장의 사건과 이곳에 오게 된 경위를 듣게 된다(13절). 기쁨으로 맞아 준 라반과 함께 한 달 동안 함께 거하던 야곱은(14절) 앞으로 벌어질 20년간의 고난에 대해 전혀 가늠할 수가 없었다.**

2. 라반의 책략과 칠 년간의 봉사(15-30절)

1) **"라반이 야곱에게 했던 제안"(15절) 이면에는 다음과 같은 책략이 숨어 있는 듯한데**, 첫째는 빈둥거리며 더부살이하느니 숙식비라도 해결하라는 것이었고, 둘째는 의도적으로 첫째인 레아를 야곱에게 시집 보내려는 것이었다(26절).

2) "레아"("**짜증나게 된**," "**지루한**"의 뜻)는 눈매가 부드러웠던 반면, "라헬"은 몸매와 얼굴이 모두 예뻤다(17절). "**눈매**"보다는 "**몸매**"에 끌리는 것이 남자의 본성이다(삼하 11:2). **야곱의 첫사랑 라헬은 "첫눈에 반한" 여인이었기에 7년간의 봉사를 마다하지 않았지만(18절), 이때부터 야곱은 자기가 심은 것을 거두기 시작한다.**

3) 칠 년간의 봉사와 함께 라헬에 대한 야곱의 사랑은 계속되었고, 그 시간은 그에게 "여삼초"(如三秒)였다. 어느덧 약속한 날들이 되었고, 칠 일간의 잔치가 열렸다(21-22절, cf. 판 14:10). 그런데 자고 일어나 보니 옆에 있던 여인은 라헬의 언니 "레아"였다(25절). 레아는 7년간 야곱을 부드러운 "눈길"로 바라봤을 것이고, 라반은 이것을 노리며 계책을 꾸민 것이다.

4) 『**어찌하여 내게 이같이 행하셨나이까?... 어찌하여 외삼촌이 나를 속였나이까?**』(25절) 이 질문은 야곱이 에서에게 저질렀던 그 일을 떠올리게 한다(27:19-26). 하지만 그는 자신이 아버지 이삭을 속인 장본인이었다는 사실을 전혀 인식하지 못한 채 "왜 나를 이같이 속였는가?"에 대해서만 분개했다.

5) 하지만 『**큰딸**[the firstborn]**보다 작은딸을 먼저 주는 것은 우리 지방에서 하지 아니하느니라.**』(26절)라는 라반의 말에 창세기 25:31의 사건이 떠올랐을 것이다. 말하자면 하나님께서 야곱의 아픈 곳을 찌르신 것이다(요 21:17). 이제 야곱은 혼인 잔치 7일을 채우며 레아를 아내로 맞이했고, 라헬도 아내로 얻었다(28절).

아내들의 "출산 전쟁"(29:31-30:24)

1. 네 명의 아들을 낳은 "레아"(29:31-35)

1) 야곱은 라헬을 사랑했고, 레아는 미워했다(31-33절, cf. 눅 16:13, 롬

9:13). 그래서 야곱은 기필코 라헬을 얻고자, 또다시 7년의 봉사를 마다하지 않았던 것이다(30절, cf. 레 18:18). 레아는 첫아들을 낳았음에도 야곱의 사랑을 받지 못했고(33절), 오히려 동생 라헬로부터 시기를 받게 된다(창 30:1,2).

❶ 르우벤(32절) : 비록 레아가 미움받는 어미일지라도, 장자인 르우벤은 유업으로 두 분깃을 받게 된다(신 21:17). 하지만 르우벤은 이후에 그 권리를 빼앗긴다(창 35:22).

❷ 시므온(33절) : 둘째인 시므온을 낳고서도 레아는 야곱의 사랑을 받지 못한다(33절). 시므온은 "듣는다"는 뜻이다. 특히 시므온은 이스라엘의 12지파 중에서 가장 용맹한 자다(창 49:5).

❸ 레위(34절) : 레위 족속은 출애굽기와 민수기에서 "제사장 지파"가 되었고, 지파로서 계수되지 않았다(민 1:47; 2:33; 26:62).

❹ 유다(35절) : 가장 뛰어난 지파인 유다는 "찬양"이라는 뜻을 가졌다.

2. "라헬"의 시기(30:1-4)

1) **시기는 자신이 가지지 못한 것을 남이 가지고 있을 때 생겨난다(1절).** 라헬은 지금 언니를 시기하고, 심지어 자살로 야곱을 협박하고 있다. 이것은 결코 "**돕는 자**"(창 2:18)로서의 자세가 아니다(cf. 삼상 1:6-10).

2) 야곱은 원치 않는 자식이 계속 생기는 반면, 사랑하는 여자는 불임을 놓고 맹렬하게 자신을 비난하고 있다. 이에 화가 난 야곱은 하나님께로 화살을 돌린다(2절, cf. 창 20:18). **결국 라헬은 그녀의 종 "빌하"를 야곱에게 대리모로 제시함으로써, 사라가 아브라함에게 제시했던 것과 같이**

육신적이고, 즉흥적인 제안을 하고 만다(3,4절, cf. 창 16:1-5).

3. "단"과 "납달리"를 낳은 빌하(30:5-8)

1) 사라와 마찬가지로(하갈과 이스마엘), 라헬의 경우도(빌하와 단) 악한 열매를 맺고 말았다. 즉 "이스마엘"이 이스라엘의 박해자와 원수가 되었듯이, "단"은 적그리스도의 완벽한 예표가 된 것이다.

2) 라헬은 하나님께서 자신의 기도에 응답하셨다고 확신했기에(7절, cf. 판 17:13), 그녀의 여종 "빌하"를 다시 들여보낸다. 대리모를 통해 낳은 "납탈리"(나의 씨름)를 보고, 마치 자신이 낳은 것처럼 자랑스러워한다(8절).

4. "갓"과 "아셀"을 낳은 실파(30:9-13)

1) 이번에는 "레아"의 차례다. 생산이 멎은 레아는 그녀의 여종 "실파"를 링에 세운다. 이로써 야곱은 "네 명의 아내"를 두게 되었고, 실파의 첫아들인 "갓"이 태어난다(11절).

2) 일곱 번째 태어난 "갓"은 "군대" 또는 "행운"을 뜻한다. 이제 여덟 번째 아들인 "아셀"("복 받다," "행복하다"는 뜻)이 태어나면서 야곱은 대가족을 이루었다(12,13절).

5. "라헬"의 흥정 대 "레아"의 잉태(30:14-21)

1) 밀 추수 때, 들에 나가서 "합환채"(mandrake)를 가져온 르우벤을 본 라

헬은 매우 흥미로운 거래를 시도한다(14-16절). 르우벤이 가져온 "합환채"는 짙은 초록색 잎을 지닌 당근 모양의 식물인데, 식용으로 사용되는 식물이라기보다는 다산을 촉진시키거나 불임을 치료하는 데 사용된 것으로 알려진 식물이다.

2) 라헬은 앞서 "하나님께서 자신의 목소리를 들으셨고," "언니와의 큰 싸움에서 이겼다"고 선언했다(6,8절). 그렇다고 해서 그녀가 언니와의 싸움을 멈춘 것은 아니다. 그녀의 질투는 아직 사그라지지 않았다. 이런 라헬에 대해 레아는 "남편도 모자라 이제 합환채까지 빼앗으려느냐?"라고 하면서 심술궂게 응대한다(15절). 비록 라헬이 몸종을 통해 자식을 낳았지만(5-8절), 자신은 여전히 아이를 낳지 못하고 있다. 또한 레아의 생산이 멎었고(9절), 레아 역시 자식을 원한다는 것을 안다. 그래서 "차악(次惡)의 흥정"을 했으니, 곧 야곱의 허락도 없이 레아에게 동침할 권한을 합환채와 맞바꾸었던 것이다(15절).

3) 합환채로 야곱을 빌린 레아는 그녀의 다섯 번째 아들인 "잇사갈"(야곱의 아홉 번째 아들)을 낳았고, 그녀는 이 아들을 "하나님께서 주셨다"고 여겼다(18절). 이것은 마치 이브(창 4:1), 사라(창 16:5), 라헬(창 30:6)처럼 자가당착에 빠진 모습이다.

4) 잇사갈에 이어 아들 "스불론"과 딸 "디나"가 레아에게서 태어난다(20,21절). "디나"는 "단"의 "여성"형인데, 레아가 딸의 이름을 이렇게 지은 것에는 라헬의 "첫째 아들 단"(6절)을 상쇄시키려는 의도가 다분히 숨어 있다. 이제 야곱은 네 명의 아내와 10명의 자녀를 둔 대가족의 가장이 되었다.

6. "라헬"을 기억하신 하나님(30:22-24)

1) **하나님께서 드디어 "사랑받는 여인" 라헬을 기억하셨다**. 이스라엘이 홍해와 광야를 지난 후 약속의 땅에 들어갈 때 길갈에서 이집트의 치욕을 굴려버린 것처럼(수 5:9) 라헬은 수치와 박탈감이라는 시련을 통과했다. **이로써 그녀는 예수 그리스도의 가장 위대한 예표가 되는 요셉("제거하다"라는 뜻)의 어머니가 될 자격을 갖추게 되었다**.

2) 드디어 용광로를 통과한 그녀는 주인의 용도에 맞는 그릇이 되어 나온다(욥 23:10). 그녀가 죽기 전에 "**베냐민**"을 낳음으로써(창 35:16-18), "**하나님께서 치욕을 제거하셨고, 다른 아들을 더해 주실 것**"(23,24절)이라는 그녀의 말이 모두 옳은 것으로 판명되었다.

야곱과 라반의 흥정(Big Deal), 30:25-43

1. 야곱의 재치(25-33절)

➠ "**요셉**"이 태어나자 야곱은 본향으로 돌아갈 생각을 하게 된다(25절). 이때 야곱은 라반과의 대화에서 대단히 재치 있는 흥정을 이끌어 낸다. "**외삼촌은 나로 인해 부자가 되었는데, 저는 집을 언제 마련합니까?**"(30절)라며 자신의 처지를 설명하자, 라반은 이에 속에도 없는 말로 "**내가 무엇을 주랴?**"(31절)로 되묻지만, 야곱은 그를 전혀 신뢰하지 않았다. **그런데 야곱은 "다산"이라는 복을 주신 하나님을 익히 경험했기에, 그의 제**

안은 대단히 현명한 것이었다(32,33절, cf. 잠 16:20).

2. 야곱의 흉정에 넘어간 라반(34-36절)

➠ 야곱이 제안한 "**점 있고 얼룩얼룩한 양들과 염소들**"은 라반에게는 결코 손해 보는 장사가 아니었다. **하지만 야곱의 계획은 7년 후 모든 갈색 가축과 얼룩얼룩한 가축 그리고 점이 있는 가축을 차지하는 것이었다. 절대 훔치지 않고도 모두 자기 것으로 만드는 엄청난 계략을 꾸민 것이다**. 그리고 라반은 오히려 어리석게도 자신과 야곱 사이에 삼 일 길을 떨어뜨려 놓았다(36절, cf. 창 31:23).

3. 야곱의 지략(37-43절)

➠ 야곱은 "**푸른 포플라**"와 "**개암나무**"와 "**밤나무**" 가지를 벗겨 흰 줄무늬를 만들었다(37절). 이렇게 함으로써 발정기에 든 동물들이 막대를 보면서 임신하도록 했다(38절). 이런 식으로 얼룩얼룩한 새끼를 낳은 가축은 모두 라반의 양 떼가 되었다(36-39절). **한 걸음 더 나아가 야곱은 튼튼한 가축이 새끼를 밸 때만 그렇게 함으로써 "얼룩얼룩하고 점이 있는" 건강한 새끼를 가지게 된 것이다. 야곱의 지략은 결국 라반을 농락해 버리고 말았다**.

■ 새롭게 깨달았거나 적용할 내용이 있다면 적어 보세요. ■

신실하신 하나님의 인도하심(31:1-55)

1. 도피 계획을 세우는 야곱(1-16절)

1) 돈과 권력은 시기와 다툼을 불러일으키는데, 드디어 라반의 아들들이 야곱의 번성함을 보고 수군거리기 시작했고, 불평하기에 이르렀다(1절, cf. 창 13:6,7). 라반 역시 야곱을 대하는 태도가 달라졌다(2절). 이런 상황에서 하나님께서 야곱에게 고향으로 돌아가라고 명하신다(3절).

2) 그런데 4-13절까지의 내용을 보면, 야곱이 라헬과 레아에게 하나님께서 하신 명령과 약속에 대해 조금 다르게 표현하고 있음을 볼 수 있다. 야곱이 한 말들은 모두 새빨간 거짓말은 아니었다. 야곱이 아내들에게 했던 말은 대부분 사실이었다. 야곱이나 발라암은 결코 100% 거짓말은 하지 않는다. 능란한 거짓말쟁이의 특징 중 하나는 지극히 적은 누룩과 같은 거짓말로 상대를 속인다는 것이다.

3) 『**이같이 하나님께서는 그대들의 아버지의 가축을 빼앗아 내게 주셨느니라**』(9절). 야곱은 지금 자기 재산, 즉 가축이 늘어난 것을 합리화하기 위해 하나님을 끌어들이고 있다. 그는 예수님을 거부하며 주님을 십자가에 넘겨준 바리새인들처럼 자기의 행위를 정당화하기 위해 "하나님께서 그 일을 하셨다."라고 말하는 것이다.

4) 하나님께서 야곱의 서원(창 28:18-22)을 상기시키셨고, 그를 약속의 땅으로 소환하고 계신다(3,13절). 리반과 함께 거하는 야곱은 비록 징계를

받지만, 보호받고 보존되었으며 부자가 되었다. 이것은 예표적으로 이방 가운데서 고통당하고 있는 이스라엘을 보여 주는데, 본토로 회복되기 이전의 이스라엘의 모습인 것이다(A.D. 70-1948).

2. 야곱의 도피와 라반의 추격(17-25절)

1) "야곱의 도피"는 출애굽기 12-14장에 나오는 이스라엘 민족의 탈출을 상기시키는데, 이것은 팔레스타인 땅으로 귀환하는 이스라엘(1920-1948)을 예표하고 있고, 이후 대환란 때 있을 적그리스도 통치하에서의 "이스라엘의 도피"를 보여 준다(계 12장).

2) 라헬은 외모와 얼굴만 아름다울 뿐(창 29:17), 성깔은 보통이 아닌 데다가(창 30:1) 도둑질까지 했다. 하지만 라반의 입장에서는 야곱과 라헬 둘 다 도둑인 셈이다(창 31:26). 라헬이 형상을 훔친 동기야 어떻든 간에 그녀의 우상숭배는 전 가족에게 악한 영향을 미쳤다(창 35:4).

3) 야곱이 떠난 지 사흘째 되던 날 야곱의 도주 소식이 라반에게 들렸다(22절). 추격 여섯째 날, 라반은 꿈속에서 하나님의 메시지를 들었고, 두려움에 휩싸인 그는 야곱에게 훔쳐간 신들을 내놓으라는 말만 했다(30절, cf. 창 20:3). 죽음의 심판에 놓인 라헬은 거짓말로 둘러댔고, 형상을 훔친 대가에 대한 "즉결 심판"은 피하게 되었다(32-35절, cf. 시 101:7).

3. 라반의 추궁과 야곱의 항변(26-42절)

➟ 지난밤 라반의 꿈에 말씀하신 하나님으로 인해 용기를 얻은 야곱은(29

절) 이제 라반을 거세게 몰아붙이고 있다(36-42절). 그는 라반을 위해 20년 동안 봉사한 나날들을 회상하며, 자신의 고난과 수고를 하나님께서 보시고 외삼촌인 라반을 책망하셨음을 재확인시켜 줌으로써 라반을 수세에 몰리게 했다.

4. 이방인과의 세 번째 언약(43-55절)

1) 라반은 야곱의 이러한 말에 화가 나고 심히 불쾌했지만, 그가 할 수 있는 일은 아무것도 없었다(43절). 이것이 바로 하나님 앞에서 아무것도 할 수 없는 죄인들의 모습이다. 그가 할 수 있는 일은 그분 앞에 무릎을 꿇은 채 자백하는 것 외에는 아무것도 없다(롬 14:11). 이제 하나님의 개입으로 모든 것을 포기한 채 라반은 야곱과 언약을 맺는다(44절).

2) 언약의 증거물로 "돌"을 사용하는 것을 성경 여러 곳에서 볼 수 있다(수 24:26,27, 눅 19:40). 야곱과 라반의 언약은 "아브라함"(창 21:31)과 "이삭"(창 26:28-30)에 이어 히브리인이 이방인과 맺은 세 번째 언약이다.

3) 이때 라반은 나홀과 아브라함 그리고 그들의 조상인 "데라"(창 11:27, 하란)의 하나님을 두고 맹세하지만, 야곱은 "이삭의 하나님"만 언급한다(53절). 야곱이 그의 맹세에 아브라함을 넣을 수 있었지만, 의도적으로 라반이 언급한 아브라함을 빼 버린 것이다(이것은 순전히 악의에서 나왔다).

■ 새롭게 깨달았거나 적용할 내용이 있다면 적어 보세요. ■

제4과
복습문제

1. 『큰딸[the firstborn]보다 작은딸을 먼저 주는 것은 우리 지방에서 하지 아니하느니라.』(26절)라는 라반의 황당한 말에, 야곱은 형 에서에게 (   )을 팔라고 했던 자신의 행동이 떠올랐을 것이다(창 25:31).

2. 레아가 낳은 아들은 6명이고, 라헬이 낳은 아들은 (   ), (   )이다. 또한 레아의 여종 빌하와 라헬의 여종 실파를 통해 낳은 아들은 각각 2명으로, 야곱은 모두 12명의 아들과 딸 "디나"를 두게 된다.

3. 야곱은 창세기 31:41에서 『외삼촌의 두 딸을 위하여는 (   )년을, 외삼촌의 양떼를 위하여는 (   )년을 봉사』했다며 항변했다.

4. 라헬은 오랫동안 자신의 아이가 없다는 수치와 박탈감의 시련을 통과하고서 "예수 그리스도의 가장 위대한 예표"가 되는 (   )을 낳는다.

5. 도주하던 야곱을 뒤쫓던 라반은 꿈에 나타난 하나님으로 인해 야곱과 언약을 체결하게 되는데, 이것은 "(   )"(창 21:31)과 "(   )"(창 26:28-30)에 이어, 히브리인이 이방인과 맺은 세 번째 언약이다.

■ 복습 문제의 정답은 홈페이지(www.solomonbtc.org)에서 확인할 수 있습니다.

NOTES

제5과

복 받은 야곱 :
하나님과 겨루어 이기다
(32,33장)

『그 사람이 말하기를 "네 이름이 더 이상 야곱이라 불리지 아니할 것이요, 이스라엘이라 불리리라. 이는 네가 통치자로서 하나님과 사람들과 더불어 겨루어 이기었음이니라." 하니』(창 32:28).

에서를 두려워한 야곱(32:1-12)

『야곱이 에돔 지역의 세일 땅에 있는 그의 형 에서에게 자기 앞서 심부름꾼들을 보내며, 그들에게 명하여 말하기를 "너희는 내 주 에서에게 이같이 고할 것이니 '당신의 종 야곱이 이같이 말하기를, 내가 라반과 더불어 기거하며 거기에서 지금까지 머물렀나이다. 내게는 소들과 나귀들과 양떼들과 남종들과 여종들이 있는데 보내어 내 주께 전하고 내 주의 목전에서 은총받기를 바라나이다 하더이다.' 하라." 하였더라』(3-5절).

1. 라반을 떠나보낸 야곱은 가족들과 길을 계속 가다가 하나님의 천사들을 만났고, 그곳의 이름을 "마하나임"이라고 했다(1,2절).

   1) 야곱이 만났던 천사들은 창세기 28:12에서 땅과 하늘을 이어준 사다리 위를 오르내리던 천사들로 추정된다.

   2) "**마하나임**"(2절)이란 단어는 "두 군대" 또는 "무장한 진영들"이란 뜻이다. 문맥상 야곱은 형 에서를 피해 고향을 떠날 때와 마찬가지로 귀향길에서도 천사들의 도움이 필요한 상황이었다.

2. 야곱이 에서에게 심부름꾼들을 보내어 한 말에는 그가 귀향하는 이유가 담겨 있지 않았다(4절).

   ➡ "지금까지 라반과 머물렀다"는 말만 했을 뿐인데, 시리아를 떠나기 전에

아내들에게 했던 말과는 영 딴판이었다. 『하나님의 천사가 꿈에 내게 말씀하시기를 '야곱아.' 하시기에 내가 말하기를 '내가 여기 있나이다.' 했더니, 그가 말씀하시기를 '이제 눈을 들어 보라. 가축 위에 올라탄 모든 숫양은 아롱아롱한 것과 얼룩얼룩한 것과 회색 무늬 있는 것이니라. 이는 내가 라반이 네게 행한 모든 것을 보았음이니라. 나는 벧엘의 하나님이라. 네가 거기에서 기둥에 기름을 붓고 네가 거기서 나에게 서원하였으니, 지금 일어나 이 땅을 떠나서 네 친족의 땅으로 돌아가라.' 하셨느니라." 하니』(창 31:11-13). 말하자면 야곱은 자신의 인생길에서 하나님을 온전히 신뢰하지 못하고 육신적으로 "잔머리" 쓰는 버릇을 여전히 못 고친 것이다.

3. 야곱의 계획

1) 에서에게서 돌아온 심부름꾼들이 에서가 400명을 데리고 야곱을 만나러 온다고 말하자(6절), 야곱은 몹시 두려워하고 불안해하며 자기와 함께한 사람들과 가축 떼를 두 무리로 나누었다(7절). 에서가 와서 한쪽을 치면 남아 있는 다른 일행은 피하게 하려는 계산이었다(8절).

2) 무리를 나누는 과정에서 야곱은 레아와 그녀의 아들들은 전방에 배치하고 라헬과 요셉은 후방에 배치함으로써(창 33:2), 라헬을 여전히 더 사랑하고 있음을 보여 주었다. 실파와 빌하 그리고 그 몸종들에게서 나온 자식들은 최전방에 배치했다(창 33:2).

3) 야곱은 에서가 400명을 데리고 온다는 소식을 들었을 때 기도부터 하지 않았다. 그는 육신적인 계획을 먼저 세웠고(7,8절), 그 뒤에 하나님의 이

름을 불렀다(9절). 야곱은 먼저 육신적인 계획을 세운 뒤에 하나님께 그 분의 약속을 상기시켜 드렸고, 에서의 손으로부터 구해 주실 것을 간구했다(9-12절). 나쁜 소식을 들었을 때 야곱은 하나님은 뒷전으로 두고 작전부터 짠 것인데(cf. 느 2:4), 육신적인 그리스도인들 역시 먼저 무릎을 꿇고 기도하지 않고 육신적인 계획을 짜내느라 애를 쓴다.

4) **야곱은 전능하신 하나님께 먼저 매달리지 않는 습성을 고치기 위해 나중에 가서 하나님을 붙잡고 매달려야 했다(24절)**. 야곱은 하나님께 "**매달릴**" 때야 비로소 참된 복이 온다는 사실을 다리를 절게 되면서 배웠던 것이다(25-28절).

에서를 달래려는 육신적인 계획(32:13-23)

『야곱이 그 밤을 거기서 유숙하고, 자기가 가지고 있는 것 중에서 자기 형 에서를 위한 선물을 택하니, 암염소가 이백 마리요, 숫염소가 이십 마리며, 암양이 이백 마리요, 숫양이 이십 마리며, 젖 나는 낙타 삼십 마리와 그들의 새끼들이며, 암소가 사십 마리요, 황소가 열 마리며, 암나귀가 이십 마리며, 새끼 나귀가 열 마리더라. 그것들을 각 떼로 나누어서 자기 종들의 손에다 맡기고, 자기 종들에게 말하기를 "나보다 앞서 건너서 떼와 떼 사이에 간격을 두라." 하고』(13-16절).

1. 야곱은 기도하고도(9-12절) 마음에 화평을 갖지 못했다(cf. 빌 4:6,7). 그는 무리를 둘로 나누는 것도 모자라 에서의 마음을 풀어줄 "뇌물

공세"를 계획했다(13-21절).

1) **<u>야곱은 기도를 했으면서도(9-12절) 하나님께서 응답하실 것을 믿지 않았던 것이다</u>**. 하나님께서는 에서와의 문제를 해결하는 데 있어서 야곱의 계획을 사용하지 않으셨다. 야곱도 "<u>혹시</u>"라는 말로 자신의 계획에 확신이 없음을 드러내었다(<u>20절</u>).

2) **<u>성경은 성도가 기도할 때 "믿으면" 응답된다고 말씀하고 있다.</u>**

『나를 부르라. 그리하면 내가 네게 응답하겠고 네가 알지 못하는 크고 능력 있는 일들을 네게 보이리라』(렘 33:3). 『그러나 믿음이 없이는 하나님을 기쁘시게 할 수 없나니, 하나님께 나아가는 자는 그분이 존재하시는 것과 그분이 자기를 열심히 찾는 자들에게 보상하는 분이심을 마땅히 믿어야 하느니라』(히 11:6). 『그러므로 내가 너희에게 말하노니, 너희가 기도할 때에 바라는 것들은 무엇이나 받은 것으로 믿으라. 그리하면 너희 것이 되리라』(막 11:24). 『우리가 그의 안에서 가지는 담대함이 이것이니, 그의 뜻대로 무엇이든지 구하면, 그가 우리를 들으시는 것이라. 우리가 구하는 것은 무엇이나 그가 들으시는 줄을 안다면, 우리가 그에게 구한 요청들을 받은 줄도 아느니라』(요일 5:14,15). 『너희가 내 안에 거하고 내 말들이 너희 안에 거하면 너희가 원하는 것은 무엇이나 구하라. 그러면 너희에게 이루어지리라』(요 15:7).

2. 야곱은 선물을 먼저 보냈고, 나머지 무리와 자기 소유로 하여금 그 날 밤 얍복 여울을 건너게 했다(21-23절).

➠ 야곱이 남아 있던 프니엘은 언제나 얍복 강 북쪽을 지칭하기 때문에 야곱은 강을 건너지 않고 홀로(24절) 남아 있었던 것으로 보인다. 아내들과 아이들만 에서에게 보내고 자기는 홀로 뒤에 남았다는 사실은 어떤 면에서는 야곱의 비겁함을 보여 준다.

이스라엘이라는 이름을 받은 야곱(32:24-32)

『그 사람이 말하기를 "날이 새니 나로 가게 하라." 하니, 야곱이 말하기를 "당신이 나를 축복하지 아니하면 가게 하지 아니하겠나이다." 하였고 그 사람이 야곱에게 말하기를 "네 이름이 무엇이냐?" 하니, 그가 말하기를 "야곱이니이다." 하더라. 그 사람이 말하기를 "네 이름이 더 이상 야곱이라 불리지 아니할 것이요, 이스라엘이라 불리리라. 이는 네가 통치자로서 하나님과 사람들과 더불어 겨루어 이기었음이니라." 하니』(26-28절).

1. 얍복 강가에 홀로 남은 야곱은 주의 천사와 씨름하여 "이스라엘"(하나님의 통치자, 28절)이라는 새 이름을 받았다. 그리고 그 천사는 야곱을 축복했다(26,29절).

➠ 야곱과 맞붙어 싸웠던 "어떤 사람"(24절)은 다름 아닌 "주의 천사"였다. 『그는 태에서 그의 형의 발뒤꿈치를 잡았고, 또 자기 힘으로 하나님과 힘을 겨루었도다. 정녕, 그가 천사와 힘을 겨루어 이겼고, 그가 울며 그에게 간구하였으며... 그가 우리와 말하였으니』(호 12:3,4).

2. 야곱은 안 그래도 주님께 도움을 구하고 있었는데(24절), 넓적다리의 우묵한 곳이 위골되자, 더욱 죽기 살기로 매달렸다(25,26절).

1) 넓적다리의 우묵한 곳이 위골된 이상 비상시에 에서로부터 도망칠 수도 없었다. 최악의 경우에 대비한 "**삼십육계 줄행랑**"조차 계획할 수 없었다. 하나님의 복을 받지 않고서는 더 이상 인생의 위기를 견뎌낼 수 없게 된 것이다.

2) 하나님께서는 그런 야곱을 떠나시려다(26절) 말고 새 이름을 부여하시며 축복하셨다(27-29절). **말하자면 "육신이 위골되고 절뚝거릴 때" 하나님의 복이 임한다. 육신이 예전처럼 활개 치지 못하고 하나님께 간절히 매달릴 때 참된 복이 임한다. "육신이 절뚝거리며 물러날 때" 하나님께서 친히 일하실 수 있게 되는 것이다.**

이스라엘과 에서의 화해(33:1-11)

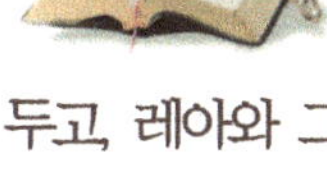

『야곱이 눈을 들어 보았더니, 보라, 에서가 사백 명을 거느리고 오는지라, 야곱은 자식들을 나누어 레아와 라헬과 두 여종에게 맡기며, 여종과 그들의 자식들을 맨 앞에 두고, 레아와 그녀의 자식들은 그 뒤에, 그리고 라헬과 요셉을 맨 뒤에 두더라. 그는 그들을 앞서 나가서 자기 형에게 가까이 갈 때까지 땅에 일곱 번 절하니라. 에서가 달려와서 그를 만나 얼싸안고 그의 목에 마주대며 입맞추고 그들이 울더라』(1-4절).

1. 천사를 만나 직접 축복을 받았음에도 야곱은 여전히 자신의 머리를 신뢰했다(1,2절).

➡ 야곱이 취한 "<u>**예방조치**</u>"는 여전히 하나님을 전적으로 신뢰하지 않았음을 보여 준다. 『**전쟁의 날을 위하여 말이 예비되어도, 구원은 주께 속한 것이니라**』(잠 21:31).

2. 야곱은 1,2절의 예방조치에 더하여 형 에서에게 이를 때까지 그에게 일곱 번 절했다(3절).

1) 에서는 야곱에게 달려왔고, 그를 만나 얼싸안고 그의 목에 마주 대고 입맞추었으며, 결국 두 사람은 울고 말았다(4절).

2) 야곱은 자신에게 "<u>무기를 들고 달려오는</u>" 에서를 보고 잔뜩 겁을 먹었을 것이다. 그러나 에서는 탕자를 만난 아버지와 같은 자세로 동생 야곱을 맞이주었다. 『**그가 일어나서 자기 아버지에게로 갔는데 그가 아직도 멀리 있을 때, 아버지가 그를 보고 가엾게 여겨 달려가 목을 안고 입맞추더라**』(눅 15:20).

3) 야곱이 보낸 선물로 인해 에서가 야곱을 용서했을 것으로 생각할지 모르지만, 절대 그렇지 않다. 야곱에 보낸 선물을 만난 뒤에도 에서는 "<u>**내가 만난 이 모든 떼는 무슨 뜻이냐?**</u>"라고 물었고(8절), 그에게는 이미 충분한 소유가 있었기 때문에(9절) 그런 것으로 원한이 풀릴 리가 만무했다. <u>**에서의 마음을 미리 예비해 놓으신 분은 얍복 강가에서 야곱을 축복하셨던(29절) 하나님이신 것이다!**</u>

3. 5-7절에서는 야곱의 가족과 에서가 대면하고 인사하는 내용이 이어진다.

➠ 에서는 야곱에 앞서 보낸 가축 떼가 무슨 뜻인지를 물었고, 자신은 소유가 충분하여서 거절했지만, 야곱의 강권으로 받아들이게 된다(8-11절).

야곱이 에서에게 거짓말하다(33:12-20)

『에서가 말하기를 "우리가 길을 떠나 가자. 내가 네 앞서 가리라." 하니, 야곱이 그에게 말하기를 "내 주께서 아시거니와, 내 자식들은 허약하고 내게 있는 양떼들과 소떼들은 새끼를 배었으니, 만일 사람이 하루만 그들을 과도히 몰면 모든 떼가 죽으리이다. 내가 간구하오니, 내 주께서는 주의 종을 앞서 가소서. 나는 내 앞에 가는 가축과 자식들이 견딜 수 있는 대로 천천히 인도하여 세일로 가서 내 주께로 가리이다." 하더라. 에서가 말하기를 "내가 이제 내게 딸린 사람들 중 몇 명을 네게 남겨 두리라." 하니, 그가 말하기를 "무슨 필요가 있나이까? 나로 내 주의 면전에서 은혜를 얻게 하소서." 하더라. 그러므로 에서는 그 날 세일을 향하여 그의 길을 돌이키더라. 야곱은 숙곳으로 여행하여 자기를 위하여 집을 짓고 가축을 위하여 우리를 만들더라. 그러므로 그곳의 이름을 숙곳이라 부르니라』(12-17절).

1. 에서는 야곱에게 여정에 동행할 것을 제안했지만, 야곱은 400명의 "무장 군인"의 행군 속도에 발맞출 수 없다는 이유로 자신의 가족과

가축 떼는 천천히 가게 해 달라고 요청했다(12-14절). 에서는 자기 사람들 몇을 야곱에게 남겨 두겠다고 했지만, 야곱은 그것을 거절했다(15절).

1) 야곱은 가축과 자식들을 자기가 인도하여 에서가 있는 세일로 가겠다고 했지만, 이것은 완전한 속임수였다. 야곱은 결코 세일로 가지 않았고, 그는 숙곳으로 갔다가 요단강을 건너 살렘으로 갔다(17,18절). 상황에 따라 임시변통으로 거짓말을 해 대는 것이 "인간 야곱"이었다. 그의 이름의 뜻인 "찬탈자"가 아직도 거기에 있었던 것이다.

2) 야곱은 결코 세일 땅으로 갈 의도가 없었으며, 그의 가족도 마찬가지였다. 야곱이 하나님의 명령에 따라 돌아가야 할 곳은 "벧엘"이었기 때문이다. 『나는 벧엘의 하나님이라. 네가 거기에서 기둥에 기름을 붓고 네가 거기서 나에게 서원하였으니, 지금 일어나 이 땅을 떠나서 네 친족의 땅으로 돌아가라』(창 31:13).

3) 시리아인 라반을 떠나게 된 것도 하나님의 명령에 따른 일이었고, 얍복 강가에서 축복해 주신 분도 하나님이셨지만, 야곱은 그 점에 대해 에서에게 단 한마디도 하지 않았다. 하나님께서 기도에 응답해 주셔서 형 에서와 화해하게 된 것도 일절 언급하지 않았다. 하나님과의 관계 속에서 일어난 일을 인정하지 않고 간증하지도 않는 인생은 매번 불안정한 믿음으로 육신적인 계획을 세우다가 인생의 난관들을 만나게 된다. 자신의 발걸음을 인도하시는 분이 하나님이심을 매 순간 인정하지 않는 인생길에는 발에 차이는 "돌부리들"이 널려 있게 된다. 그것이 바로 야곱의 인생이었다. 『네 모든 길들에서 그를 인정하라. 그리하면 그가 네 길들을 지도하시리라』(잠 3:6).

4) 야곱이 에서에게서 벗어나 도착한 곳은 숙곳이었다(17절). **숙곳은 "칸막이 방" 혹은 "작은 방"이라는 뜻으로, 성경에서 최초로 족장 중 누군가가 "집을 짓고"(17절) 살았다는 기록이 나오는 곳이 바로 숙곳이었다**. 따라서 야곱(이스라엘)이 숙곳에 집을 짓고 살았던 사건은 미래의 천년왕국 기간에 이스라엘이 약속의 땅에 안전하게 거하게 될 일을 예표한다(cf. 왕상 4:25, 겔 34:25,27,28, 슥 14:11).

2. 숙곳에 임시로 거하던 야곱은 그 뒤 세겜의 성읍들 가운데 하나인 살렘으로 가서 그곳에 장막을 쳤다(18절).

1) 그는 자기가 장막을 친 들의 일부를 세겜의 아비 하몰의 자식들의 손에서 돈 일백 개로 샀으며, 거기다 제단을 쌓고 그곳을 "**엘엘로헤-이스라엘**"(하나님은 이스라엘의 하나님)이라고 불렀다(19,20절).

2) 야곱이 요단강을 건너 장막을 친 후 가장 먼저 한 일은 제단을 쌓는 것이었다. 이것은 야곱이 창세기 28:21에서 하나님께 한 약속을 나름대로 지키려는 행위였지만 불완전한 불순종으로 인해 비극이 발생하게 된다(딸 "디나"가 강간당함, 창 34:1-4). **왜냐하면 하나님께서 야곱에게 명령하신 것은 "살렘"이 아닌 "벧엘"(하나님의 집)로 돌아가라는 것이었기 때문이다(창 31:13, cf. 35:1). 불완전한 순종은 순종이 아니다!**

■ 새롭게 깨달았거나 적용할 내용이 있다면 적어 보세요. ■

제5과
복습문제

1. 야곱은 에서가 400명을 데리고 온다는 소식을 들었을 때 기도부터 했다. (O , X)

2. 야곱은 전능하신 하나님께 "매달릴" 때야 비로소 참된 복이 온다는 사실을 (   )를 절게 되면서 배웠다.

3. 야곱이 에서를 달래기 위해 선물을 보낸 것을 보면, 그가 (   )했으면서도 하나님께서 응답하실 것을 믿지 않았음을 알 수 있다.

4. 『그 사람이 말하기를 "네 이름이 더 이상 야곱이라 불리지 아니할 것이요, (   )이라 불리리라. 이는 네가 통치자로서 하나님과 사람들과 더불어 겨루어 이기었음이니라." 하니』(창 32:28).

5. 얍복 강가에서 야곱과 맞붙어 싸운 "어떤 사람"은 (   )였다.

6. 야곱이 하나님의 명령에 따라 돌아가야 할 곳은 (   )이었다.

■ 복습 문제의 정답은 홈페이지(www.solomonbtc.org)에서 확인할 수 있습니다.

NOTES

NOTES

제6과

회복된 야곱 : 벧엘로 올라가다 (34-36장)

『하나님께서 야곱에게 말씀하시기를 "일어나 벧엘로 올라가서 거기에 거하며 거기에서 네가 네 형 에서의 얼굴을 피하여 도주하던 때에 너에게 나타났던 하나님께 제단을 쌓으라." 하시더라』(창 35:1).

세켐에 의해 디나가 더럽혀지다(34:1-5)

『레아가 야곱에게 낳은 딸 디나가 그 땅의 딸들을 보러 나갔는데 히위인 하몰의 아들, 그 지방의 통치자인 세켐이 그녀를 보고 그녀를 끌어들여서 그녀와 동침하여, 그녀를 더럽히니라. 그의 혼이 야곱의 딸 디나에게 연연하며, 그가 그 소녀를 사랑하여 그 소녀에게 다정하게 말하더라. 세켐이 그의 아비 하몰에게 말하였으니, 말하기를 "이 소녀를 내게 아내로 얻어 주소서." 하더라. 야곱이 그가 자기 딸 디나를 더럽혔다 함을 들었으나, 지금 자기 아들들이 들에서 그의 가축들과 함께 있으므로 야곱이 그들이 돌아올 때까지 가만히 있더라』(1-5절).

1. 야곱의 딸 디나가 히위인인(창 10:17) 세켐에게 강간을 당하는 일이 벌어졌다.

1) 당시 디나는 스스로 결혼을 결정할 수 없는 나이였기 때문에(13-15세) 사태가 심각했다. **세켐은 암논과는 달리(삼하 13:14,15) 디나를 내버리지는 않았지만, 오늘날처럼 소위 "혼전 성교"를 인정했던 자였다. 하지만 그것은 "음란함"의 다른 이름일 뿐이다. 성경에 따르면 디나는 더럽혀진 것이다(신 22:28,29)**. 야곱은 들에 있는 아들들이 돌아올 때까지 이 문제에 대해 어떤 대응이나 조치를 취하지 않았고(5,7절), 그동안 디나는 세켐의 집에 머물렀다(26절).

2) **야곱은 자신이 있어야 할 곳에 있지 않음으로써 문제가 생긴 것이었다. 하나님께서 그에게 원하셨던 장소는 "벧엘"이었다(창 31:13)**.

3) 디나는 "그 땅의 딸들"에게 기웃거리다가 일을 당한 것이었다(1절). 세상과 친구가 되려 하면 결국은 음행을 하게 된다고 성경은 경고하고 있다. 『**너희 간음하는 남자들과 간음하는 여자들아, 세상과 친구 되는 것이 하나님과 원수 되는 것임을 알지 못하느냐? 그러므로 누구든지 세상의 친구가 되고자 하는 자는 하나님의 원수가 되느니라**』(약 4:4). 야고보서의 "간음"은 영적 간음으로 보기도 하지만 실은 문자 그대로의 간음을 의미한다. 성도가 세상의 친구가 되어 하나님의 원수로 전락하면 그가 세상에서 할 일은 "간음"뿐이라는 것이다.

4) 성도는 하나님의 친구임과 동시에 세상의 친구일 수는 없다. 하나님과 재물을 동시에 섬길 수 없듯이(마 6:24), 하나님과 세상을 동시에 친구 삼을 수도 없다(요일 2:15-17). 한쪽의 친구라면 필연적으로 다른 쪽의 원수가 된다. 『**세상이 너희를 미워하면 그것은 너희를 미워하기 이전에 나를 미워한 것임을 알라. 만일 너희가 세상에 속한다면 세상은 자기 사람들을 사랑할 것이라. 그러나 너희는 세상에 속한 자가 아니요 내가 너희를 세상으로부터 선택하였느니라. 이로 인하여 세상이 너희를 미워하느니라**』(요 15:18,19). 성도는 『**하나님의 친구**』(약 2:23)라 불린 아브라함처럼 끝까지 친구로 남아 있어야 한다.

■ 새롭게 깨달았거나 적용할 내용이 있다면 적어 보세요. ■

야곱의 아들들의 배반과 복수(34:6-31)

『세켐의 아비 하몰이 야곱과 더불어 대화하고자 그에게 왔는데 야곱의 아들들이 그 소식을 듣고 들에서 돌아오니, 사람들은 비탄해 하고, 그들이 매우 분노하였더라. 이는 그가 야곱의 딸과 동침함으로 이스라엘에서 어리석은 짓을 행하였으니, 이 일은 행해서는 안 되는 일이기 때문이라』(6,7절).

1. 세켐이 디나에게 저지른 짓은 『이스라엘에서 어리석은 짓을』 행한 것이었다.

1) 그 일은 디나 개인이 아닌 "이스라엘"의 전 가족에게 저지른 매우 악하고 수치스러운 짓이었다. 세켐의 아비 하몰은 사태의 심각성을 직시하고 야곱의 아들들의 진노를 가라앉히기 위해 양보성 제안을 했다. 『**하몰이 그들과 대화하여 말하기를 "내 아들 세켐의 마음이 너희 딸을 사모하니, 청컨대 그녀를 그에게 아내가 되도록 주라. 너희가 우리와 혼인하여 너희 딸들을 우리에게 주며, 우리의 딸들을 너희가 취하라. 너희가 우리와 함께 거하며 땅도 너희 앞에 있으리니, 여기서 거하고 매매하여 여기서 너희 소유를 얻으라." 하고**』(8-10절). 세켐은 더 적극적으로 나서서 막대한 지참금이라도 지불할 것을 제안했다(12절, 신 22:28,29).

2) 야곱의 아들들은 저자세로 나오는 하몰과 세켐을 기만하기 시작했다. 할례받지 않은 사람들에게는 자기들의 누이를 줄 수 없으니, 세켐의 모든 남자들이 할례를 받지 않는다면 디나를 데리고 가겠다고 한 것이다(15-17절).

3) **야곱은 그의 아들들을 통해 그가 뿌렸던 것을 거두고 있었다**. 이미 에서를 속인 바 있던 그는 삼촌 라반에게서는 아내 문제로 속임을 당해 대가를 치렀는데, 그는 창세기 33:14에서 형 에서를 또다시 속임으로써 그의 자식들이 하몰과 세겜을 속이는 열매를 거두게 된 것이다. 『**속지 말라, 하나님은 우롱당하지 아니하시느니라. 이는 사람이 무엇을 심든지 그대로 거둘 것이기 때문이라**』(갈 6:7).

2. 야곱의 아들들이 제안한 "할례"는 히위인들이 받아서는 안 되는 것이었다.

1) 할례는 아브라함과 그의 후손에게 주신 땅과 관련된 언약의 표로서(창 17:8-11), 아브라함의 육적 후손의 집에서 태어난 자와 그 집안사람이 돈으로 산 자만 받기로 되어 있었기 때문이다(창 17:12,13).

2) 야곱의 아들들이 할례의 본래 목적을 벗어나 앙갚음을 하는 데 그것을 사용했던 것이다. "할례의 표적"은 주 하나님께로부터 시작된 것이며(창 17:8-12) 아브라함에게 약속하신 땅의 소유주와 관련된 표이기 때문에 피 흘리는 보복을 위해 사용하는 것은 명백한 불법이었다.

3. 하몰과 그의 아들 세겜은 야곱의 아들들의 제안을 기뻐하며 당일에 지체 없이 할례를 행했다(18,19절).

1) 하몰과 세겜은 그들의 성읍 문으로 가서(20절) 야곱 집안의 제안을 제시했고, 그 제안에 자신들만의 그럴듯한 설명을 덧붙였다.

(1) 이 사람들은 평화로운 자들이다(21절).

(2) 그 지역의 땅은 이스라엘과 함족이 함께 거하기에 충분하다(21절).

(3) 우리는 할례만 받으면 된다(22절).

(4) 결국에는 우리가 이익을 보게 될 것이다(23절).

2) **하몰과 세겜의 예상과 달리 상황은 완전히 반대로 돌아갔다**. 야곱의 아들들은 평화로운 자들이 아니었고(26절, 히위인들이 통증으로 아파하고 있을 즈음 시므온과 레위가 칼을 들고 찾아가 살육했고 다른 아들들이 이를 도왔음), 그 땅은 이스라엘과 함족이 함께 거하기에 충분하지 않았으며(창 21:10), 할례가 그들에게 죽음을 가져왔고(25절), 그들은 가축과 모든 재산과 자녀들과 아내들, 집 안에 있는 모든 것을 약탈당했다(28,29절).

4. 야곱의 반응

➠ 야곱은 시므온과 레위의 행위로 인해 수가 적은 자기 집안이 주변 족속들의 연합 공격에 망할 것이라며 탄식을 했지만(30절), 두 아들은 세겜이 자기들의 누이를 창녀 다루듯이 해야 하냐며 물러서지 않았다(31절). 이에 야곱은 아무런 대답도 하지 않았다. **이것이 바로 하나님께서 원치 않으시는 곳에 있음으로써 닥친 야곱 집안의 우환이었다. 성도는 하나님께서 원하시는 곳에 있을 때 안전하다**.

■ 새롭게 깨달았거나 적용할 내용이 있다면 적어 보세요. ■

벧엘로 올라가는 야곱(35:1-15)

『하나님께서 야곱에게 말씀하시기를 "일어나 벧엘로 올라가서 거기에 거하며 거기에서 네가 네 형 에서의 얼굴을 피하여 도주하던 때에 너에게 나타났던 하나님께 제단을 쌓으라." 하시더라. 그러자 야곱이 자기 가족과 자기와 함께한 모든 자들에게 말하기를 "너희 가운데 있는 이방 신들을 버리고 정결케 하며 너희 옷들을 갈아입으라. 그리고 일어나서 벧엘로 올라가자. 나의 고난의 날에 내게 응답하시고, 내가 갔던 길에서 나와 동행하셨던 하나님께 내가 거기서 제단을 쌓으리라." 하니, 그들이 자기들의 손에 있는 모든 이방 신들과 그들의 귀에 있는 모든 귀고리들을 야곱에게 주었고, 야곱이 그것들을 세켐 근처에 있는 상수리나무 아래에다 감추었더라. 그리고 그들이 길을 갈 때, 하나님의 공포가 그들 주위에 있는 성읍들 위에 임하므로 그들이 야곱의 아들들을 뒤쫓지 못하더라』(35:1-5).

1. 야곱은 드디어 자신이 원래 있어야 할 그곳으로 가족들과 함께 떠났다.

➠ 벧엘은 "**찬탈자 야곱**"이 하나님을 만난 장소였다(창 28:16-19). 야곱에게 벧엘은 계시의 장소이자 "**하나님께 다가서는**" 장소였다.

1) **그리스도인 역시 자신만의 "벧엘"로 돌아가야 할 때가 있다**. 그것은 하나님을 그 누구보다도 사랑했던 첫사랑의 장소이다(계 2:3-5). 성도에게

“**벧엘**”은 그가 영적으로 최고조에 달했던 곳이다. 그곳은 그의 마음속에 새겨졌던 “**갈보리**”일 수 있고, 바른 성경을 처음 만났을 때 느꼈던 “**희열과 감동과 헌신**”일 수 있다.

2) 야곱이 음행으로 더럽혀진 딸, 살인을 저지른 아들들, 우상을 섬기는 아내(라헬), 사면에 둘러싼 적들이 있는 상황에서 벧엘로 올라가야 했듯이(『**일어나서 벧엘로 올라가자.**』), **그리스도인은 자기를 둘러싼 모든 육신적인 것들을 이겨내기 위해 “이방 신들을 버리고”(2,4절, 우상 척결), “정결케 하고, 옷을 갈아입고서”(회개, 변화된 마음과 자세) 자신만의 “벧엘”로 올라가야 한다**.

『그러나 너를 책망할 것이 다소 있나니, 이는 네가 너의 첫사랑을 저버린 것 때문이라. 그러므로 네가 어디서 떨어졌는지를 기억하고 회개하며, 너는 처음 일들을 행하라』(계 2:4,5). 『그러므로 형제들아, 내가 하나님의 모든 자비하심으로 너희에게 권고하노니, 너희 몸을 하나님께서 기뻐하시는 거룩한 산 제물로 드리라. 이것이 너희가 드릴 합당한 예배니라. 너희는 이 세상과 일치하지 말고 너희 마음을 새롭게 함으로써 변화를 받아 하나님의 선하시고 기뻐하시고 온전하신 뜻이 무엇인지 입증하도록 하라』(롬 12:1,2).

3) **야곱과 그의 가족이 벧엘로 올라갈 때 하나님의 공포가 그들 주위의 성읍들 위에 임하여 그들이 야곱의 아들들을 뒤쫓지 못했듯이(5절), 재헌신하여 주님께로 향하는 성도들에게는 하나님의 보호하심이 동반한다**. 성도가 자신의 벧엘로 돌아갈 때는 두려워할 것이 없다. 그때부터 하나

님께서 친히 동행해 주시기 때문이다. 『**정녕, 내가 죽음의 그림자의 골짜기를 지날지라도 악을 두려워하지 않으리니 이는 주께서 나와 함께 계심이요, 주의 막대기와 주의 지팡이가 나를 위로하심이라**』(시 23:4).

4) 야곱은 아무런 손상 없이 벧엘로 귀환했고(6절), 하나님께서 명령하신 대로 그곳에 제단을 쌓았다(7절). 그리고 그 제단을 "**벧엘**" 대신(창 28:19) "**엘벧엘**"이라고 불렀다. 둘 다 "**하나님의 집**"이라고 해석되지만, **이번에는 하나님의 집(벧엘)보다 하나님(엘)을 앞에 두는 신앙을 보인 것이다. 집보다 위대하신 분이 하나님이시기 때문이다**. 영적으로 보면, 교회 건물보다 더 중요하고 위대하신 분이 하나님이심을 알 수가 있다. **하나님을 향한 본질적인 믿음과 신앙을 뒷전에 두고 교회 건축에만 열을 올리는 자들의 잘못된 신앙을 질타하는 부분이 아닐 수 없다**.

5) 리브카의 유모 드보라가 죽자 그녀를 벧엘 아래 상수리나무 밑에 장사하고 그 나무의 이름을 "**알론바쿳**"(애도의 상수리나무)이라고 불렀다(8절).

6) 하나님께서는 야곱이 벧엘에 세운 제단에서 그와 말씀하셨고 그곳을 떠나셨는데(9-13절), 야곱은 하나님께서 자기에 말씀하시던 곳에 돌기둥을 세우고 그 위에 술을 제물로 붓고 또 그 위에 기름을 붓고서, 하나님께서 자기와 말씀하신 그곳의 이름을 벧엘이라고 불렀다(14,15절).

■ 새롭게 깨달았거나 적용할 내용이 있다면 적어 보세요. ■

베냐민을 낳다 죽은 라헬(35:16-20)

『그들이 벧엘에서 이동하여 길을 가다가, 에프랏에 조금 못미쳐서 라헬이 산고로 진통을 당하는데 산고가 심하였으니, 그녀가 심한 산고를 겪고 있을 때, 산파가 그녀에게 말하기를 "두려워 말라. 네가 이 아들도 낳게 되리라." 하더라. 그녀의 혼이 떠나려 할 때, (이는 그녀가 죽었음이라.) 그녀가 그 아이의 이름을 베노니라 불렀으나 그의 아비가 그를 베냐민이라 불렀더라』(35:16-18).

➠ **야곱이 벧엘에서 이동할 때 그의 생애에 있어 가장 슬픈 일이 일어났다. 야곱은 자신이 처음부터 끝까지 사랑했던 라헬을 묻어야 했던 것이다.** 그 일은 아브라함에게도 닥친 일이었고, 이번에는 야곱에게 닥쳤으니, 야곱의 "**아름답고 사랑하는**" 아내가 아들을 낳다가 숨을 거둔 것이다. 야곱이 라헬을 묻은 곳은 베들레헴, 곧 에프랏에 이르는 길에 있었다(19절). 야곱은 라헬의 무덤에 기둥을 세웠는데, 라헬의 무덤 기둥은 후에 지역의 "경계표시"로 남아 있게 된다. 『**네가 오늘 내게서 떠나가다가 셀사에 있는 베냐민의 경계 라헬의 묘 곁에서 두 사람을 만날 것이요**』(삼상 10:2).

➠ 라헬은 그 아들을 "**내 슬픔의 아들**"이라고 말하면서 "**베노니**"라고 불렀지만, 야곱은 그 아들을 "**베냐민**"("나의 오른손의 아들")이라고 불렀다. **이스라엘의 역사상 가장 형편없는 왕이 베냐민 지파에서 나왔는가 하면(사울, 삼상 9:1,2), 역사상 가장 위대한 그리스도인 역시 바로 이 베냐민 지파에서 나왔다(사울이라 불리던 바울, 빌 3:5).**

이후 이어지는 21-29절은 야곱, 즉 이스라엘이 계속 길을 가다가 에달 망대 저편에 자기 장막을 치고 거할 때(21절) 르우벤이 자기 아비의 첩 빌하에게 들어간 일과(22절), 야곱의 아내들에게서 태어난 아들들의 이름들(23-26절), 아버지 이삭이 헤브론에서 죽자 에서와 야곱이 장사한 일을(27-29절) 언급한다.

창세기 35장에는 앞선 34장의 대살육에 이어 리브카의 유모 드보라의 죽음과(8절) 야곱의 사랑하는 아내 라헬의 죽음과(19절) 야곱의 아버지 이삭의 죽음이(29절) 연이어 기록되어 있다. 찬탈자 야곱의 육신적인 삶에 죽음의 우울함이 드리워져 있음을 보여 주는 듯하다.

에서의 후대(36장)

1. 창세기 36장은 에돔의 후대에 관한 내용으로 가득 차 있다.

➠ 이 장에는 욥기의 등장인물들을 연상케 하는 엘리파스(10절), 테만(11절), 요밥(욥, 34절) 등이 보인다.

2. 에서의 후손이 살고 있던 에돔은 사해 남부에 위치해 있었는데, 이 지역 안에 장차 이스라엘이 피신해 갈 바위 성읍인 셀라 페트라가 있다(시 60:9, 계 12:6,14).

1) 에서의 후손이 사는 "에돔"은 그들이 형제 이스라엘을 박해한 죄로 인해

주의 날에 파멸되는 장소로 지칭되기도 한다. 『오 **주**여, 예루살렘의 날에 에돔 자손들을 기억하소서. 그들이 말하기를 "파손하라, 파손하라, 그 기초까지 파손하라." 하였나이다』(시 137:7).

2) 에돔 자손들은 과거 유다가 바빌론 군대에 사로잡혀 갈 때 적군의 편에 서서 형제 이스라엘을 사로잡아 넘겨주고 예루살렘을 약탈했는데, 그 죄로 인해(옵 1장) 그 땅은 재림 때 불못으로 변하게 되어(사 34:1-8) 사람들이 거하지 않는 장소가 될 것이다(렘 49:16-18).

3) 에돔에 대한 심판은 그들이 박해했던 형제 이스라엘을 통해 이뤄질 것이다. 『야곱의 집은 불이 되고 요셉의 집은 불꽃이 되며 에서의 집은 그루터기가 되리라. 그들이 그들에게 불을 붙여 그들을 삼키리니 에서의 집에는 남는 것이 없으리라. 이는 **주**가 그것을 말하였음이라』(옵 1:18). 『주 **하나님**이 이같이 말하노라. 에돔이 복수를 하려고 유다 집을 쳐서 그들이 크게 범죄하였고 그들에게 그 자신이 보복하였도다. 그러므로 주 **하나님**이 이같이 말하노라. 내가 또한 내 손을 에돔 위에 펴서 그로부터 사람과 짐승을 끊으리라. 또 내가 에돔을 데만으로부터 황폐하게 하리니, 드단에서 온 그들이 칼에 쓰러지리라. 내가 내 백성 이스라엘의 손을 통해 에돔 위에 내 복수를 하리라. 주 **하나님**이 말하노라. 그들이 내 성냄에 따라 또한 나의 분노에 따라 에돔에서 행하리니 그들이 나의 복수를 알게 되리라』(겔 25:12-14).

■ 새롭게 깨달았거나 적용할 내용이 있다면 적어 보세요. ■

제6과
복습문제

1. 야곱의 딸 디나가 세켐에 의해 더럽혀진 것은 야곱이 하나님께서 원하셨던 (　　　　　)에 있지 않았기 때문이다.

2. 성도는 『하나님의 (　　　　　)』(약 2:23)라 불린 아브라함처럼 끝까지 하나님의 (　　　　　)로 남아 있어야 한다.

3. 창세기 34장에서 야곱의 아들들이 (　　　　　)를 보복 수단으로 사용한 것은, 그것이 원래 아브라함의 육적인 후손에게 주신 땅과 관련된 언약의 표란 점에 위배된다.

4. 역사상 이스라엘에서 가장 형편없는 왕과 역사상 가장 위대한 그리스도인이 (　　　　　) 지파에서 나왔다.

5. 에서의 후손들이 살고 있는 (　　　　　)은 그들이 형제 이스라엘을 박해한 죄로 인해 주의 날에 파멸되는 장소로 지칭된다.

■ 복습 문제의 정답은 홈페이지(www.solomonbtc.org)에서 확인할 수 있습니다.

NOTES

NOTES

< 추 천 도 서 >

창세기 II

피터 S. 럭크만 지음 / 568쪽
25,000원(eBook 7,900원)

본 주석서는 하늘들과 땅과 인간, 죄, 구속, 인종, 언약들의 기원 및 예수 그리스도와 적그리스도의 예표 등 창세기에 나타난 성경의 진리들을 유감없이 보여 준다.

창세기에 나타난 그리스도의 초상화들

M. R. 디한 지음 / 264쪽
7,000원(eBook 4,900원)

이 책은 창세기에 그리스도의 모습이 얼마나 다양하게 나타나 있는가를 잘 보여 준다. 우리는 그 모습을 보면서 주님을 더 사랑할 수 있을 것이다.

하나님과 함께 걷는 길

필립 켈러 지음 / 248쪽
8,000원(eBook 4,900원)

하나님께서는 성도들을 영원한 세계로 인도해 주시기를 진심으로 원하신다. 이 책은 성도들에게 그들이 하나님과 함께 동행하며 흠 없이 거룩하게 살아가는 법을 제시해 준다.

추수의 일곱 법칙

존 W. 로렌스지음 / 208쪽
5,500원(eBook 3,900원)

대부분의 그리스도인들이 씨 뿌림과 수확이라는 엄연한 현실을 다루는 하나님의 영적 법칙들을 깨닫지 못하고 무력하게 살고 있다. 이제 추수의 일곱 가지 법칙을 찾아보자.

솔로몬 성경공부 시리즈

창 세 기

제4권 야곱의 생애를 통해 배우는 교훈(25-35장)

초판1쇄 2021년 5월 14일
초판2쇄 2021년 6월 11일
지 은 이 / 편 집 부
발 행 인 / 이 송 오
발 행 처 / 말씀보존학회
출판등록 / 1988. 12. 12. 제16-223호
주 소 / 서울 강서우체국 사서함 제90호
전 화 / (02) 2665 - 3743
팩 스 / (02) 2665 - 3302
인 터 넷 / www.biblemaster.co.kr
판권소유 / 말씀보존학회

잘못된 책은 바꿔 드립니다.

값 10,000 원